The philosophy of Nintendo

任天堂

“驚き”を生む方程式

井上理

日本経済新聞出版社

娯楽に徹せよ。独創的であれ。

第3章 岩田と宮本、禁欲の経営

第4章 笑顔創造企業の哲学

第7章 花札屋から世界企業へ

第8章 新たな驚きの種

装幀・松田行正+相馬敬徳
本文デザイン・マッドハウス

プロローグ――「100年に1度」に揺らがず

2008年9月の米大手証券、リーマン・ブラザーズの経営破綻を発火点とする「100年に1度」と言われる経済危機は、世界中を混迷の淵に陥れた。

モノが売れない。在庫と生産コストが膨らむ。だから減産する。生産拠点の統廃合などリストラの前倒しを迫られ、その費用がさらに利益を圧迫。そこへ円高による為替差損が乗る。二重苦、三重苦の阿鼻叫喚。膨大な日本企業の利益が失われることが相次いで判明したのは、2009年1月から2月にかけてのことだ。

トヨタ自動車、日産自動車、パナソニック、日立製作所、東芝、ソニー……。大手各社の業績見通しは、雪崩を打つように相次いで数千億円規模の最終赤字へと転落した。電機大手10社だけでも、2兆円を超える赤字規模。底が見えない大不況の入り口に立ち、100年に1度の寒さが身に染みた冬だった。

任天堂以外は……。

岩田聡が社長となり、経営の舵をとってから6年と10カ月。2009年3月は任天堂にとって記念すべき月となった。携帯型ゲーム機《ニンテンドーDS》の世界累計販売台数が1億の大台に乗り、据え置き型ゲーム機《Wii》も5000万台を突破したからだ。

DSの発売から4年3カ月での1億台突破は家庭用ゲーム機史上、最速。Wiiの同2年5カ月での5000万台突破も、ソニー・コンピュータエンタテインメント（SCE）の《プレイステーション2》（PS2）の同3年弱を抜いて、据え置き型ゲーム機の最速記録である。

ビデオゲームの草分けで王者。

今や「NINTENDO」は、「TOYOTA」と肩を並べる世界的なブランドへと育った。米アップルや米グーグルなどと並ぶ革新的な企業というイメージも定着しつつある。業績の伸長ぶりも、そのイメージに相応しい。

2008年3月期の売上高は、岩田体制の初年度（2003年3月期）に比べて約3・3倍の1兆6724億円に、本業の儲けを示す営業利益は同4・9倍の4872億円に膨れた。

約3800人いる連結の従業員数1人あたりの売上高は約4・4億円、営業利益は約1・3億円。収益のほとんどを稼ぐ単体の従業員数で計算すると、その数字は売上高が約11億円、営業利益が約3・3億円に跳ね上がる。

トヨタの場合、約7万人いる単体従業員数1人あたりの売上高は約3・8億円、営業利益は約3300万円。これを大きくしのぐ任天堂の収益力と生産性は、世界経済が危機に瀕し、恐慌の足音が聞こえた2008年後半も維持するどころか、さらに伸びたから驚かされる。

2009年3月期、任天堂は過去最高となる1兆8200億円の売上高を見込む。営業利益も過去最高の5300億円。国内の製造業では、トヨタを抜いて国内首位に躍り出る快挙である。

任天堂も1月に入り、2009年3月期の業績予想を下方修正している。ただし、他の企業とは違い、円高が災いしただけ。輸出比率が85％超と高い任天堂は為替変動の影響が大きく、売上高を期中予想から1800億円減、営業利益を同1200億円減、税引き後の最終利益を同1800億円減に修正せざるを得なかった。

だが、それだけで、不況の発信地、北米のビジネスはむしろ沸いていた。

「米国では2008年1月からの1年間、Wiiを1017万台販売し、ニンテンドーDSも995万台販売しています。これは、どちらもゲーム機の年間の販売台数として新記録です」

2009年1月に行われた決算説明会で、岩田は誇らしげに、こう言った。

金融危機だの消費不況だの、どこ吹く風。Wii向けフィットネスソフト《Wiiフィット》が、Wii本体とセットで飛ぶようにはける。それは危機以降も変わらない。

Wii本体の販売台数は2008年10〜12月、北米で前年同期比54％増、欧州（北米、日本以外の地域含む）で同91％増と、大幅に伸びた。驚くべきことに、発売から5回目のクリスマスを迎えたDSすら伸びは止まっていない。同時期、DS本体の販売台数は北米で前年同期比4％増、欧州（同）では同11％増だった。

ホリデーシーズンが終わり、消費不況の色がより濃くなった2009年の年明けも、その勢いは持続している。

米調査会社のＮＰＤグループによると、２００９年1月の米国ゲーム市場の規模はハード・ソフト合わせて前年同期比で13％伸び、そのほとんどを任天堂製品が牽引した。ハードの首位は、Ｗｉｉの約68万台。これに約51万台のＤＳが続く。ソフトは1位から3位をＷｉｉ向けが独占。約78万本を売った1位のＷｉｉフィットは、1月のソフト販売本数の記録を塗り替えた。

新聞各紙は「ゲームは不況知らず」「巣ごもり消費が後押し」などと報じ、任天堂が不況に強い要因をゲームという商材に求めたが、それは間違いだ。

事実、ライバルのソニーは対照的に販売台数を落としている。２００８年10〜12月、据え置き型の《プレイステーション3》（ＰＳ3）の販売台数は前年同期比9％減、携帯型の《プレイステーションポータブル》（ＰＳＰ）は同12％減だった。２００９年1月の販売台数も、ともに前年割れしている。

ゲーム産業に詳しい岡三証券のアナリスト、森田正司はこう話す。

「任天堂は景気の低迷に強いわけではなく、関係ないと言った方が正しいかもしれない。理由は、景気が良かったとしても、つまらないものは売れないから」

そう、任天堂は１００年に1度の衝撃をものともしない、社史に、経済史に残る成功を収めたに過ぎないのだ。

しかし、その奇跡のような成功の源泉や、成功の裏にある任天堂ならではの強みとは何なのか、意外にも答えを持ち合わせる者は、少ない。

世界規模でこれだけの躍進を演じれば、当然、世界中のメディアが独り勝ちの秘密を明かそうと躍起になる。だが、そのほとんどが門前払いを食らう。それが、任天堂という会社だ。

任天堂は外様に経営を語られることをよしとしない。経営を称えられることすら厭う。だから個別に取材を受けることは、これほど成功している企業であるのに極端に少ない。故にその経営を題材とした書籍も、ほとんどない。

商品に関する広報は幾らでもします。でも、社長の横顔だとか経営体制だとか理念だとか、そんなものは、商品には何の関係もない。僕らの思いは、すべてゲーム機やソフトに込めてある。投資家向けの情報公開も十二分にしている。だから、あえて個別の取材に応じる必要はない。伝えたいことがあればホームページで、その都度やります——。

任天堂の広報方針をまとめると、こんなところだろう。この姿勢は、世界の巨大企業を相手に戦うようになってから、ますます強くなっていった。

岩田の言を借りれば、「僕らは自分たちのアイデアが真似されてしまうのを散々体験してきて、すごくセンシティブになっている」のである。つまり、経営をひけらかさない任天堂の主義は、競合から自らを守る意思の強さの表れとも言える。

そして、その企業文化の根底には「外の人に話したところで、任天堂の経営を理解することはできない」という、いかにも任天堂らしい考え方がある。だからこそ、「経営を外に語って何になる」となり、徹底した情報統制のもと、一貫して露出を必要最低限に止めているのだ。

だが、筆者が属する経済誌『日経ビジネス』は、ミラクルの立役者である岩田や宮本茂ら経営陣に、長時間にわたってインタビューをする機会に恵まれた。そして、今日の任天堂の礎を築いた前社長で現相談役、山内溥の謦咳に接する幸運も得た。山内が取材に応じ、任天堂の経営を本格的に語ったのは、引退後初めてである。

こうした取材成果は『日経ビジネス』の特集記事としてまとめられた。だが、経営陣の言葉の端々から滲み出る独自の哲学は、紙幅に制限のある雑誌の特集に止めておくには余りにも惜しい。しかも、日本経済が光を失い混迷の度合いを深める中、独り快進撃を続ける任天堂は、我々に希望を与えてくれるニッポン代表として、ますます存在価値を高めている。

「Only the Paranoid Survive（パラノイアだけが生き残る）」。米インテルの創業者の1人、アンディ・グローブによる、「ビジネスには病的なまでの心配性が必要」との名言だ。

他方、アップルの創業者でCEOのスティーブ・ジョブズは、こんな言葉を米スタンフォード大学の卒業生に贈ったことがある。「Stay hungry, Stay foolish（貪欲であれ、バカであれ）」。

任天堂には、この2つの言葉に通ずる匂いがあるが、同じではない。一見、シリコンバレーを代表する企業と似た勢いや雰囲気を感じるが、京都という日本の古都で約120年前に創業した任天堂には、それらとは明らかに違う文化がある。

任天堂だけが持つ独自の哲学とは。その源流とは——。

流行り廃りの波が激しい娯楽業界で生き抜き、世界に冠たるエクセレントカンパニーへと昇華した背景にある、任天堂なりの「方程式」を、今一度、探らずにはいられない。

それは、ゲーム産業やソフト産業に限らず、すべての産業にとって、同質化と価格競争の波に飲まれず、「突き抜けた」存在になるためのヒントとなるはずだ。

なお、登場する方の肩書きや事実関係は2009年4月時点のもの。また、文中の敬称は略させていただいた。

2009年4月　　井上理

第1章

ゲーム旋風と危機感

「僕らがもっと素晴らしいゲームをと頑張った結果、
時間やエネルギーをゲームに割けない人たちが
『もういいや』と、静かに立ち去っていたのです。
調べれば調べるほど、これは本当に深刻だと感じました」
……岩田

DS、1人1台への挑戦

2008年10月2日の昼過ぎ、東京・原宿にある代々木第一体育館にマスコミ関係者やアナリスト、ゲーム業界関係者など、1000人以上が続々と集まって来た。入り口では招待券の厳重なチェックが敷かれ、入場待ちの列が続く。体育館のアリーナに設けられた席が埋まり、一瞬の静寂が訪れた後、派手な音楽と照明とともに任天堂の社長、岩田聡《さとる》がステージに登場した。

大きな拍手が木霊《こだま》し、まるで米アップルのCEO（最高経営責任者）スティーブ・ジョブズが何かを発表する時のような雰囲気に包まれた会場。こんな演出が似合う経営者は、日本では岩田くらいだろう。簡潔な挨拶を済ませた岩田は、本題を切り出した。

「任天堂がゲーム人口の拡大、という基本戦略を掲げ、《ニンテンドーDS》を発売したのは2004年12月2日でした。今日でちょうど3年と10カ月になります。本日、まず最初にDSファミリーの新たなモデルである、《ニンテンドーDSi》を紹介させていただきます」

そう言って岩田は、カメラと音楽再生機能が付いた新型DSを高々と掲げた。その時点で国内の販売台数が2300万台を超えているDSは、まだまだ売れる余地があると言わんばかりに。

とんでもない数が全世界で売れている。2004年11月に米国で、12月に日本で発売された任天堂の携帯型ゲーム機、DSの販売台数は、2008年12月末、世界で9622万台に達した。発売から4年近く経ってもその勢いは衰えることなく、2009年3月には、家庭用ゲーム機としては史上最速のペースで1億台を突破した。

これまで1億台を超えたゲーム機は、3つ。史上初めて1億台を突破したソニー・コンピュータエンタテインメント（SCE）の据え置き型ゲーム機《プレイステーション》（PS）は、突破まで9年半、後継機種のPS2は5年9カ月の月日を要している。携帯型で唯一、1億台を突破したのは1989年に発売され、パズルゲーム《テトリス》で一世を風靡した任天堂の《ゲームボーイ》。こちらは、突破まで11年もかかった。DSは、これらすべてを凌駕する爆発力を見せつけた。

周知の通り、DSには従来の携帯型ゲーム機にはない「2画面」「タッチペン入力」「音声認識」という型破りな特徴が備わっている。売りは、上のメイン画面を見ながら下の画面をタッチペンで触れたり、声を出したりして遊ぶことができる「直感操作」。ちなみにネーミングの由来は、2画面を示す「Double Screen」の頭文字にある。

「画面は1つ」「操作はボタンで」というゲーム機の常識を打ち破る特徴を持ち、過去のどのゲーム機よりも急速に普及しているDSには、あらゆる意味で常識が当てはまらない。

DSとゲームボーイの販売台数比較

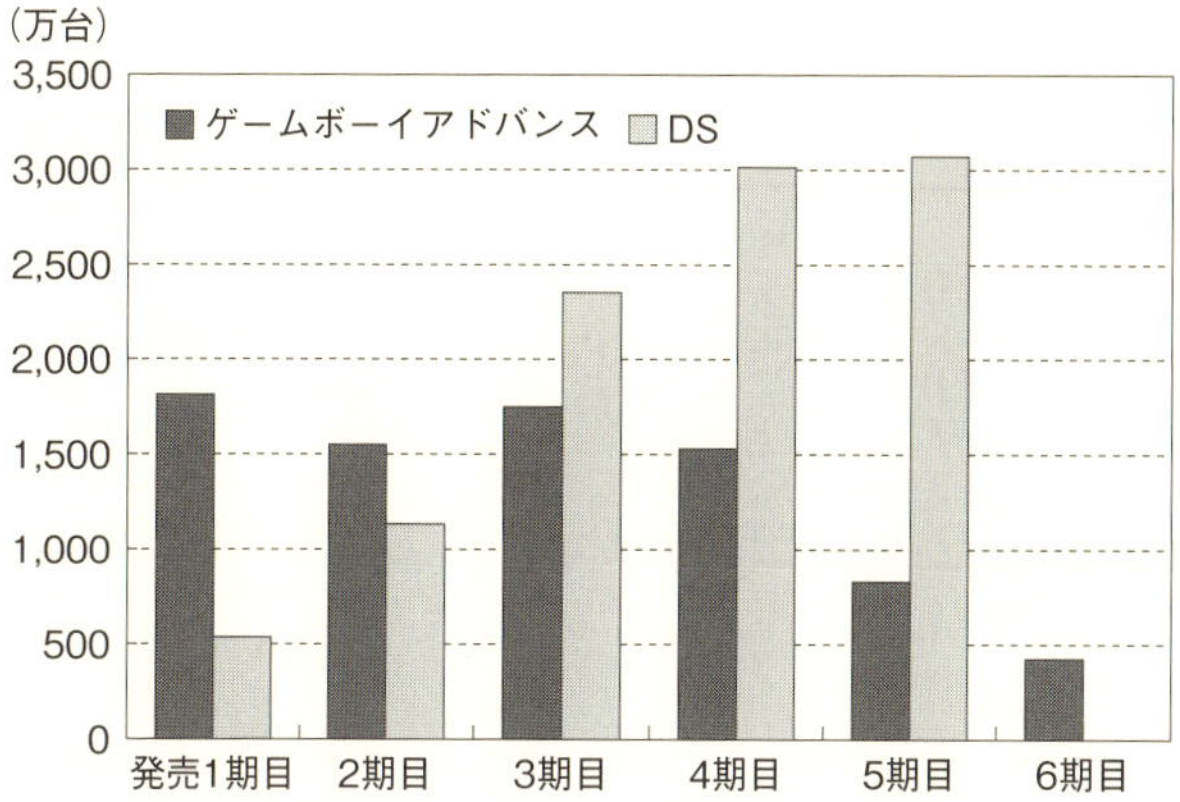

（注）世界累計。DSの５期目は予想。3150万台は5/7決算で確定予定
（出所）任天堂

一気に本体を売って、後はソフト販売で稼ぐゲームプラットフォームのビジネスでは「代替わりのサイクルは5年」というのが、最近の定説だ。だがDSの持久力は明らかに他とは違う。何しろ国内では普及の限界台数を超えつつあるというのに、さらに上を目指すというのだから。

DSの初速は、先代の携帯型ゲーム機《ゲームボーイアドバンス》を大きく下回っていた。

国内で〝DS旋風〟が吹き荒れ始めたのは、遅まきながら発売から丸1年が経った、2005年の年末商戦から。量販店ではDSを求める列が日常の光景となり品切れが続出。メディアは老若男女を巻き込んだ社会現象を、連日のように取り上げた。

そんな最中の2006年3月、任天堂は絶好のタイミングで《ニンテンドーDS Lite》を発売する。元祖DSからひと回り小さく、約20%の軽量化が施されたDS Liteの投入は、さらに旋風のうねりを巨大なものへと変えた。

2006年4月からの1年間だけで、国内でのDSの販売台数は1000万台に届かんばかりの912万台を記録。ゲーム機の年間販売台数として過去最高の金字塔である。

翌2007年度の国内での販売台数は636万台と、前年度を下回り、異常とも言えるDSの普及スピードは2008年度に入ると落ち着きを見せる。それも当然、国内でのDSの普及台数は、2008年12月末時点で、2500万台を超えているのだ。

単純計算で国民の5人に1人まで行き届いたDS。従来のゲーム業界の常識に照らせば、DSはこのまま失速して、次世代の携帯型ゲーム機の投入を静かに待つということになる。ところが、DS時代はまだ続くと岩田は宣言した。

「日本における2000万台は、ほぼ普及台数の限界である、と言われており、既にDS市場は飽和したと見ておられる方も少なくはないでしょう。しかし、携帯型ゲーム機独自の新しいライフスタイルがご提案できれば、DSというプラットフォームにはまだまだ普及の余地があると考えています」

古びたプラットフォームに再び息吹を吹き込む新たな提案。それが、初代DS登場から丸4年後、2008年11月に発売されたDS iである。重量と大きさをDS Liteとほぼ同じに抑えながら、厚さは約12%薄くなった。さらに、液晶画面の大きさを3インチから3・25インチに広げ、画面の明るさも向上させた。

それ以上に大きな改良は、カメラ機能と音楽再生機能だ。その狙いは、携帯電話と同じような道具としての機能ではなく、映像や音で遊んだり、楽しんだりしてもらうという、いかにも任天堂らしいもの。プリクラのように写真にデコレーションしたり、顔を変形させたり、自分と友達の顔を混ぜてみたり……。音楽再生では、音楽やマイクで録音した声の音階や速さを変化させる機能も搭載した。

これらの付加価値とともに、任天堂とDSは未踏の領域に挑戦する。すなわち、「1人1台」への領域に。

「既にDSをお持ちの世帯にでも、複数の家族のあいだで共有されているDSを自分専用にしていただいて、1家に1台から1人に1台への流れを作りたいと考えました」

そう語る岩田の思いは、「i」というネーミングにつながった。任天堂の調査によると1世帯当たり平均2・8人がDSを触っているが、1世帯当たりの普及台数は1・8台だという。この差を埋める、自分だけの「マイDS」。それが、DS iなのである。

今のところ、岩田の戦略は首尾よく進んでいる。発売から5期目に当たる2009年3月期、

2008年10月2日、経営方針説明会で岩田はDSシリーズ第3弾となる新機種《ニンテンドーDSi》を発表。1家に1台から1人1台へという思いが「i」のネーミングにつながった（写真提供：共同通信社）

任天堂は過去最高だった前年度と並ぶ、３０００万台以上のＤＳを世界で売り切った。日本より１年から２年遅れで、ＤＳ旋風は海の向こうにわたり、北米と欧州で日本以上の販売台数を稼いでいる。ＤＳｉは、確実にその勢いを増し、持久力を高めるだろう。

ゲーム産業の分析に定評がある岡三証券は、２０１１年３月までに、ＤＳの販売台数が累計で１億５０００万台程度になると予測している。実現すれば、世界で１億３０００万台以上が販売されたＳＣＥの据え置き型ゲーム機ＰＳ２をもしのぐ、「世界最多ゲーム機」の称号を得ることになる。

ゲーム史上、類を見ないＤＳの圧倒的な爆発力と持久力。型破りなハードの功績は確かに大きい。だが、従来のゲームの枠にとらわれない新しいジャンルのソフトを抜きにして、ＤＳ旋風を語ることはできない。

社長が作った《脳トレ》

その男は都会のお祭り騒ぎをよそに、空港を目指していた。

「6時55分より順次、販売していきますので、こちらの列にお並びください！　なお、ご購入はお1人様1台限りとなっております！」

2004年12月2日、午前6時。出勤するサラリーマンの人影もまばらなこの時間、東京・有楽町のビックカメラ前には行列ができていた。この日はDSの発売日。ビックカメラやヨドバシカメラなどの家電量販店は、早朝からの特別営業で対応した。

満を持した次世代携帯型ゲーム機の発売。早朝営業の発売イベントに、岩田が姿を見せると思いきや、その姿は都内のどこにもない。そのはず、彼はその頃、宮城県仙台市にある東北大学へと向かっていた。DSの爆発的なヒットを生むことになる起爆剤を完成させるために……。

《脳を鍛える大人のDSトレーニング》、略して脳トレ。そのDS旋風への貢献はあまりに有名である。世界でのシリーズ販売本数は2008年12月時点で累計3009万本。幾多あるDSソフトの中でも空前のヒットを放っている。

脳トレでは、20問の四則演算の回答をいかに早く記入するかに挑戦する「計算20」、瞬間的に表示される複数の数字を覚え、その場所を数字の小さい順にタッチする「瞬間記憶」、表示された文学作品の冒頭部分をできるだけ早く音読する「名作音読」といった10以上のミニゲームが遊べる。岩田が任天堂の舵取りをするようになってから初めて自ら企画し、製作を牽引した。

書店で見つけた2冊のベストセラーがきっかけだった。

2003年11月に出版された『脳を鍛える大人の計算ドリル』と『脳を鍛える大人の音読ドリル』。脳活動の研究や認知症患者の脳機能の回復といった研究に取り組んでいた東北大学の川島隆太教授が、反復学習の草分け「公文式」で有名な学習塾「日本公文教育研究会」と共同で出版した。「簡単な計算や文章の音読は、脳の活性化に有効」という川島教授の研究成果をもとに、1日50〜100問、週5日、12週間分の問題が収録されたドリル集は、口コミで全国に広がり、2004年6月には120万部を達成、異例のヒット作となった。

このブームに目を付けた岩田は、すぐに川島教授に話を持ち込み、2004年夏頃から脳トレのプロジェクトをスタートさせた。最初の試作が岩田の手元に届いたのは、DSの発売の2カ月前、2004年9月のこと。この時点で岩田としては満足のいく完成度に達していた。

「川島教授のリアクションを自分の目で確かめるために、すぐにでも教授のもとへ飛びたい」

そう思った岩田はさっそく面会の約束を取り付ける。だが、川島教授も岩田も多忙の身。2人の空いている日にちが次に重なるのは、偶然にもDSの発売日だった。

それでも岩田は迷うことなく、12月2日に川島教授がいる仙台へ向かうことにした。任天堂の命運がかかった新ハードの発売。本来であればそのトップは店頭でのイベントに立ち会うか、有事に備え本社で待機するべきだということは岩田も認識している。

DSの発売から10日後、ライバルのSCEが携帯型ゲーム機《プレイステーションポータブル》(PSP)を発売した際、SCE社長の久夛良木《くたらぎ》健《けん》(当時)は、早朝から新宿のヨドバシカメラと渋谷のTSUTAYAをはしごして、先頭に並んだファンに商品を手渡すというパフォーマンスを繰り広げた。

だが岩田にとって、DSの発売に付き合うよりも脳トレを完成させることの方が、よほど大切だった。当初、30分の予定だった2人の面会時間が、結局は3時間に延びたという事実が、脳トレへの岩田の熱意を物語る。

「今では、私が仙台に行ったことを責める人は社内にいません」

岩田がこう語るように、狙いはぴしゃりと当たった。脳トレが、ゲームを忘れていた大人、あるいはゲームに興味がない大人の購入動機となり、DSの販売が大きく伸びていくという現象が日本全国に広がったからだ。

DSは順調な滑り出しを見せていたものの、購入者の大半は従来からのゲームファンや小中学

DSとPSPの売れ行き比較

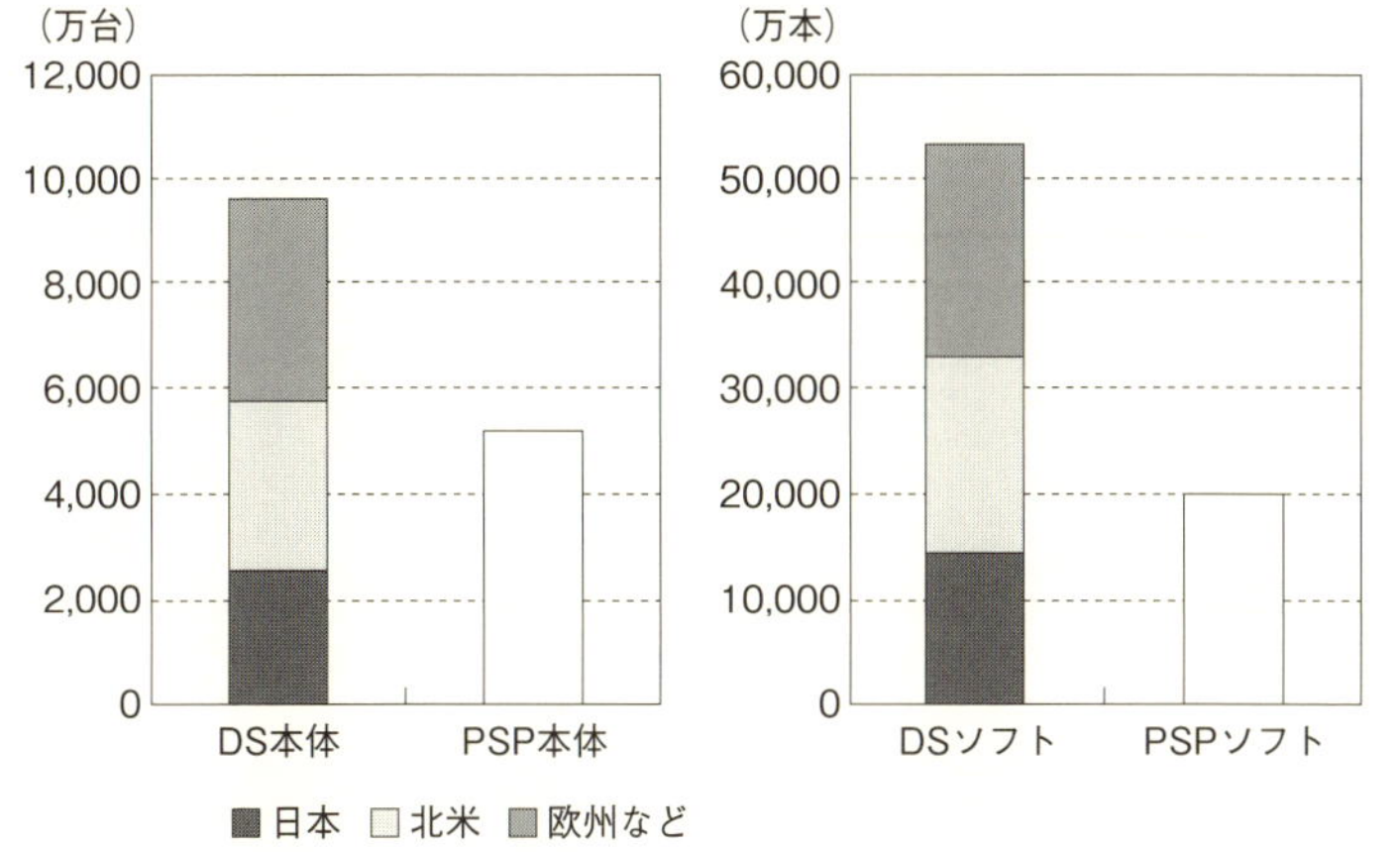

（注）2008年12月末の累計。DSの数値は販売数、PSPの数値は2006年３月までの出荷数とそれ以降の販売数を合算した世界累計

生。国内での販売台数は発売から４カ月後、２００５年３月末の段階で２００万台程度と、「旋風」と呼ぶにはほど遠かった。だが翌月に脳トレが発売されると事態は一変する。

脳トレの発売初週の販売本数は５万本弱。その後も週数万本のペースで推移し、夏を迎えても販売数は落ち込むどころか、逆に伸びていった。８月の休暇を機に、20歳代、30歳代のサラリーマンが購入に走ったことが、その主因と見られている。

脳トレは１つのソフトで４人までの成績を記録できる。「お母さんの脳内年齢は幾つ？やってみてよ」といった具合に、久々の家族団らんのネタとしても重宝されたのだ。

こうして若者が、〝DS広報大使〟のごとく中高年にゲームを体験する機会を与え、中高年がDS本体と脳トレの購入に走るという現象も拡大した。

さらに、ゲームの歴史にない珍現象が9月に起きる。敬老の日の週、脳トレの販売本数は5月の発売初週を超えた。認知症の予防やリハビリに役立つと喧伝されていた脳トレが、ＤＳ本体とともに年配者へのプレゼントとして選ばれたと任天堂は見ている。

タイトル通り「大人」に浸透していった脳トレの販売本数は、発売から半年後の２００５年11月に累計70万本を超え、年末商戦で１００万本を突破し、ＤＳ本体の品切れを各地で招くという事態を引き起こす。２００５年12月末に脳トレの続編が発売されるとその勢いはさらに加速し、国内の販売本数は1作目、２作目ともに５００万本超、合計で１１００万本を超える大ヒットとなった。

ゲームを忘れていた、あるいは興味がない大人に向けて、きっかけを与えるソフトを提供し、ゲーム人口の拡大を図る。久々に、または初めて携帯型ゲーム機を手に入れた大人は、せっかくだからと往年の《スーパーマリオ》シリーズなどのソフトも購入し、ゲーム市場全体が盛り上がる。任天堂の調査によると、最初に購入したソフトが脳トレだったＤＳユーザーのうち、35％が90日以内に別のソフトも購入しており、うち10％以上が11本以上のソフトを購入したという。

この流れこそが、岩田が社長就任以来仕込んできた「ゲーム人口拡大戦略」であり、脳トレはその要を担う戦略商品だった。

脳トレは、国内のみならず、海外でも見事にその重責を果たす。

ただし、海外では脳トレ以上にDSの普及に貢献したソフトがある。ゲームをやらない大人に向けた、もう1つのキラーソフト《nintendogs》（ニンテンドッグス）だ。

2005年4月に日本で、同年8～9月に海外で発売されたニンテンドッグスは、タッチペンとマイクによる音声認識機能を用いて、画面の中の愛犬の世話をするソフト。愛犬の名前を呼んだり、えさをあげたり、たまには散歩に連れて行き、公園でフリスビーをしたり。そんな、ありふれた行為を繰り返すことだけが目的だ。

およそゲームらしくないこのソフトが、2006年末までに、北米と欧州でそれぞれ400万本以上も売れた。海外での伸びは2007年度も続き、2008年12月までに世界累計で2167万本にも達している。このうち、実に9割以上が海外での販売だ。

万国共通のゲーム離れという現象に、直感的なゲーム機本体の魅力と誰でも親しめるソフトという両輪で挑み、大成功を収めた任天堂。その発想は、据え置き型ゲーム機にも引き継がれた。

ゲーム人口拡大戦略とＷｉｉ

三つ巴の熾烈な戦争の火蓋を切ったのは、米マイクロソフトだった。

この時、家庭の主婦が、医療施設の患者が、ロイヤルファミリーがビデオゲームのコントローラーを握り締め、画面に向けて振り回す姿を、誰が想像しただろうか……。

２００５年11月、マイクロソフトが《Ｘｂｏｘ３６０》を発売し、いわゆる次世代ゲーム機戦争が幕を開けた当時、ゲーム業界の動向分析に長けた多くの専門家たちはＳＣＥのＰＳ３が圧勝すると見ていた。

ハイビジョン画質の映像を収録できる「ブルーレイ・ディスク」と、スーパーコンピュータ並みの処理能力を持った「セル・プロセッサー」。この２つが織り成す驚異的なグラフィックスが多くのゲームファンを魅了するはずだと。

任天堂の《Ｗｉｉ》は３つの次世代ゲーム機の中で、唯一ハイビジョン画質ではない。だからＷｉｉを本命に挙げる専門家はわずかだった。

次世代据え置き型ゲーム機のシェア

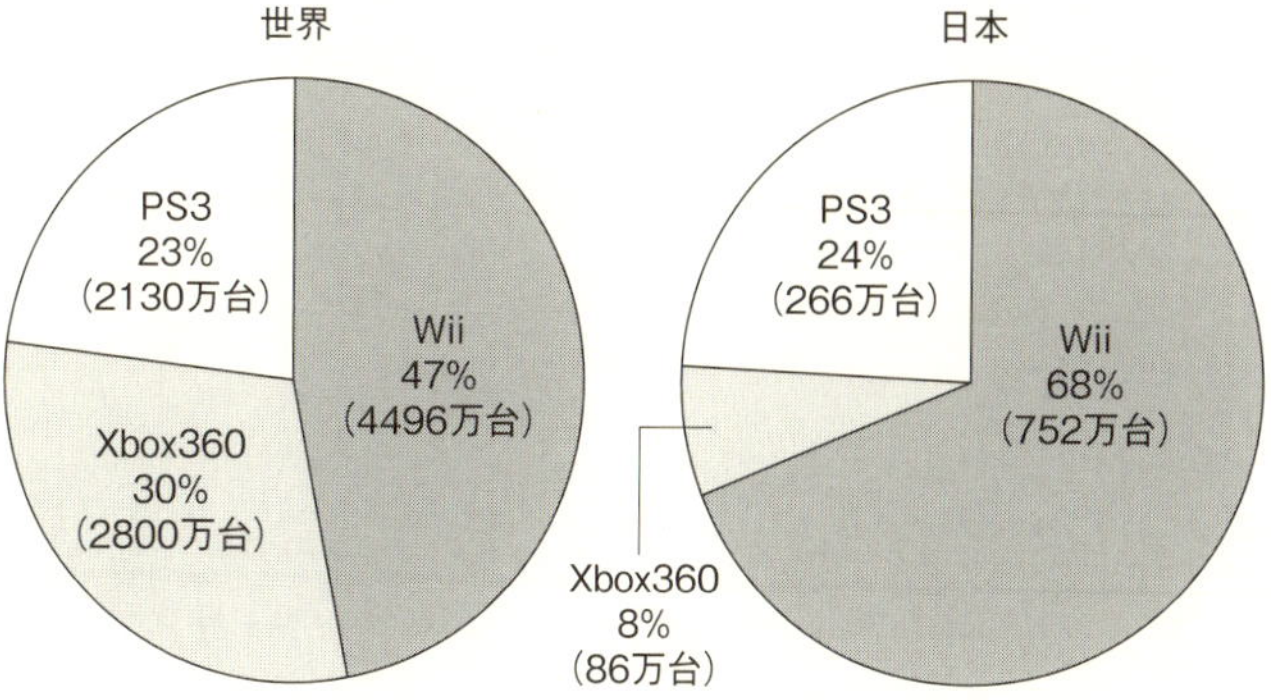

(注) 2008年12月末の累計

それがどうだ。蓋が開けば、Ｗｉｉが先頭を走っている。Ｘｂｏｘ３６０より1年遅い２００６年暮れにスタートを切ったＷｉｉは、Ｘｂｏｘ３６０をあっと言う間に抜き去り、ＰＳ３の倍のペースで台数を伸ばした。

そもそも、相手が悪い。いや、悪すぎた。

１９８３年に発売した《ファミリーコンピュータ》でビデオゲームの市場を立ち上げ、一時代を築いた任天堂は、１９９０年代半ばから10年間、ソニーに苦杯を喫した。

ソニーが子会社のＳＣＥを通じて１９９４年に投入したＰＳと、２０００年に投入したＰＳ２が、瞬く間に市場を席巻。そこへソニーは、２０００億円以上もの投資をして、エレクトロニクス産業の先頭を行く者の意地とプライドを、最新鋭機、ＰＳ３で体現した。

一方、2001年に家庭用ゲーム機の市場へ殴り込みをかけたマイクロソフトは、実績はないが、ソニー以上の資本力を持つ。2002年6月、PS2に対抗した《Xbox》の劣勢が判明すると、すぐさま5年間で20億ドル（約2500億円）の投資を決め、次世代機の開発に着手。それから、わずか3年半で、Xbox360を市場に送り出すという力業をやってのけた。

こうした世界の巨人が本気でゲームプラットフォームの覇者を狙う次世代機の戦争。その熾烈さや過酷さは、かつてのゲーム機戦争と比較にならないほど厳しい。

その中で任天堂は、Wiiの発売から1年8カ月で3000万台突破という記録を達成した。これはPS2が樹立した2年2カ月という記録を破り史上最速。巨人を相手に十分すぎるほどの出来だと言ってよい。

2008年12月時点の販売台数は、世界累計で4496万台。Xbox360の約1・6倍、PS3の約2・1倍と、その差は開く一方だ。

確かにまだ決着がついたわけではない。ソニーもマイクロソフトも値下げ攻勢でシェア奪取を狙っており、戦況が変化する可能性もある。

例えば、米国の調査会社IDCは、2012年末の時点でPS3がWiiを僅差でかわし、販売台数が1億1000万台近くになると予測している。この時、Wiiは約1億5000万台、Xbox360は完敗で約4000万台という読みだ。

ただ、ゲーム機の歴史では、発売からいかに短期間でシェアを奪うかが、ゲームプラットフォーム競争の優勝劣敗を左右して来た。ゆえに、Ｗｉｉの垂直立ち上げは次世代ゲーム機戦争の終結を占う上で大きなアドバンテージと見られている。

そしてもう1つ。Ｗｉｉにはライバルにない味方がいる。

静岡県の、ある一軒家のリビング。ここで、夜な夜なＷｉｉが活躍している。遊んでいるのは子供でも若者でもない。64歳と57歳の熟年夫婦がテレビに向かい、《Ｗｉｉスポーツ》というソフトでボーリングやテニスなどのゲームに興じている。

２００８年夏には、体力が衰えないようにと《Ｗｉｉフィット》というソフトも購入した。付属の体重計のような台に乗り、画面のインストラクターの指示に従って、ヨガや踏み台昇降などのメニューをこなす。リビングに置いてあるランニングマシンが動くことは、少なくなった。

他方、米国屈指の医療施設、ノースカロライナ州の「ウェイクメッド・ヘルスパーク」。ここでは、脳卒中の患者が理学療法士の指導や介助を受けながらＷｉｉリモコンをバットのように振り回して野球ゲームを楽しんでいる。米国ではこうした施設が急速に広がっている。

場所が変わって英国では、タブロイド紙『THE PEOPLE』が２００８年1月、「MAKE WAY FOR THE Q Wii N（女王にＷｉｉを譲れ）」という洒落た見出しで、エリザベス女王がＷｉｉに夢中だと報じた。英国王室のウィリアム王子がガールフレンドから贈られたＷｉｉで遊

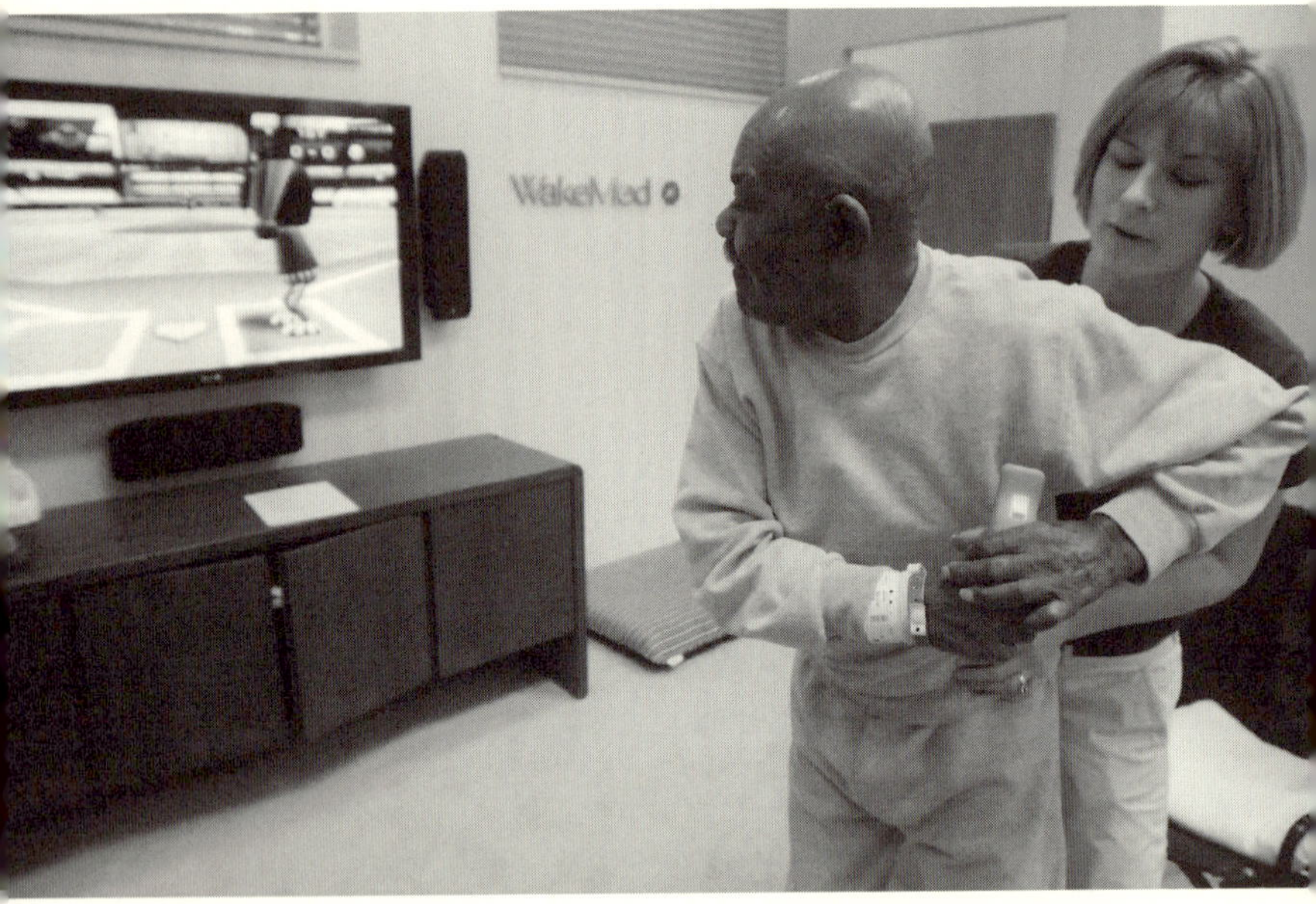

ノースカロライナ州の医療施設で、Wii を使った理学療法を行う患者。Wii は患者のバランス感覚を養ったり、腕の筋力強化に役立っている（写真提供：AFP ＝時事）

んでいたところ、女王が割って入り、独り占めしたとのこと。王子は「クール」な祖母を見てご満悦だったとか……。

Ｗｉｉのユーザーには、これまでビデオゲームに縁のなかった人たちが、たくさんいる。ＰＳ３やＸｂｏｘ３６０には、こうした話題はない。つまりＷｉｉの前には、まだ開拓できていない潜在的な市場、「ブルーオーシャン」が広がっているということなのだ。

ＤＳからＷｉｉにも継承され、今のところ、順調に市場からの評価を得ているゲーム人口拡大というテーマ。だが、より高画質、高機能へというゲーム機戦争から距離を置き、ここへ至るまでには、長い苦難の道程があった。

ソニーとの10年戦争

ゲーム人口拡大という戦略は、任天堂がゲーム機戦争を戦う中で長い時間をかけて考え抜いた結果、ようやく辿り着いた賜であると、岩田は回顧する。

「ある日突然、神の啓示が降りて、ゲーム人口の拡大だ、ということになったのではありません。僕らが作った結果の手応えが何か変だなと思い、何でゲームで遊んでくれないのだろうと考えて議論をしながら試行錯誤を繰り返し、それでも、いよいよすごく危険な水準に来たなと感じた。それが、ちょうど僕が社長に就任した2002年頃なんです」

携帯型ゲーム機のDSから具現化が始まったゲーム人口拡大戦略の気づきは、据え置き型ゲーム機のシェア争いで苦渋を味わい、もがき苦しむ中で、徐々に生まれていったものである。

任天堂とソニーのゲーム機戦争は、1994年、ソニーがSCEを通じて初代PSを発売したことに端を発する。世界で1億台以上のPSを売り、任天堂を王者の座から引きずり下ろしたソニー陣営は後継機のPS2でもシェアを維持、任天堂との10年戦争で勝ちを収めた。

任天堂とソニー、10年戦争の結果

	国内発売日	販売台数※1（国内／世界）	国内ソフトタイトル数※2
プレイステーション	1994年12月	2159万台※3／1億249万台	約4400本
VS			
NINTENDO64	1996年6月	554万台／3293万台	約210本
プレイステーション2	2000年3月	約2600万台※3／約1億3200万台	約4550本
VS			
ニンテンドーゲームキューブ	2001年9月	404万台／2174万台	約280本

※1 2008年3月末時点、 ※2 2008年9月末時点、 ※3 アジアを含む

この間、任天堂とソニーはハードの性能と華麗なグラフィックスを競い、連れるようにゲームソフトの内容も大きく進化した。ただ、両者の方向性は違った。

PSが発売されたのは、半導体の進化がゲーム機の進化をもたらし、グラフィックスが2次元から3次元の世界へと移行した時代だ。PSはソフトの供給方式にCD－ROMを採用し、扱えるデータ容量は数メガバイトから一気に数百メガバイトに増えた。これが、ゲームを重厚長大の方向へと誘う。

映画やアニメのワンシーンのようなムービーがゲームに挿入されることが増え、3次元で描かれたグラフィックスと高音質の音楽は、「ピコピコ音」に慣れたファミコン世代を魅了した。同時に、データ容量の増大はゲームの舞台を大幅に広げ、キャラクターや

アイテムを増やし、ゲームの内容を複雑で長尺なものにしていく。簡単なゲームに飽きたファンは喜んで腕を振るった。

一方、「3次元戦争」に出遅れた格好の任天堂は、初代PSの発売から1年半後の1996年6月、恐るべき性能を持ったモンスターマシン《NINTENDO64》（ロクヨン）で対抗する。当時のスーパーコンピュータ並みのグラフィックス処理能力を有したロクヨンは、3次元での複雑な動きなどを強みとし、映像の美しさはライバルのPSを圧倒するものだった。「ゲームが変わる、ロクヨンが変える」というキャッチに相応しい出来。自在に視点を変えることが可能で、刻一刻と景色が変わる世界観は、ゲーム業界の関係者に驚きを与え、新たなゲームの登場を予感させた。だが、この性能が仇となる。

PSの4倍と言われる圧倒的な処理能力と、新しい世界観を生かすゲームを作るとなると、かつての方法論やアイデアは通用しない。ソフト開発の作業量や期間も爆発的に増える。「ついて来られる者だけついて来い」。面白くて新しいゲームとは何かを愚直に追求し、物量より質を重視した任天堂のロクヨンは、それだけソフトメーカーの参入障壁を高くし、ソフト開発者に叩きつけた挑戦状とも言える高級なハードとなった。

無論、作業量や期間が増大したのはPSも一緒だ。しかし、PSの性能の上限はロクヨンの遥か下。しかもソニー陣営は、従来のゲームを肉厚にする路線。安価な開発環境を用意してソフト

NINTENDO64（上）とニンテンドーゲームキューブ（下）。究極のハードを目指したロクヨンは、任天堂のソフト開発者すらも苦しめた（写真提供：共同通信社、時事通信社）

メーカーの参入障壁を下げることにも苦心した。結果、ロクヨンの怪力を操ることができないソフトメーカーは次第にPS専属へと傾倒し、ソフトの品数で大きな差がついたのだ。

ロクヨンの発売から約1年半後、1997年末時点でのロクヨン向けのタイトル数はわずかに50本強。対してPS向けは1000本以上。気がつけば据え置き型ゲーム機市場はソニー陣営の天下だった。

従前のゲームの流れに乗りながら、家電メーカーらしくより豪奢な映像と音を追求したソニー陣営は2000年3月、重厚長大路線をひた走るための後継機、PS2を投入する。データ容量がCD－ROMの6倍以上あるDVDを採用し、DVDの再生プレイヤーとしても利用できる。

他方、任天堂は、最終的に国内554万台、世界3293万台とさえない結果に終わったロクヨンの後継機の開発で、難しい選択を迫られることになる。

「ゲーム離れ」の危機感

5カ月前に発売されたPS2が各所で入手困難と大人気を博していた2000年8月、かねてから「ドルフィン」というコードネームで開発が進められていた任天堂の据え置き型ゲーム機が、やっと正式に発表された。《ニンテンドーゲームキューブ》と名付けられた新型ハードの形状は、ロクヨンと距離を置くように、小さなCDステレオのような可愛らしさを醸している。

「ロクヨンの反省」――。

発表会の場で、任天堂のハード開発のトップ、総合開発本部長（当時）の竹田玄洋《げんよう》は、そんな表現を持ち出した。それは、前作の反省点を遺憾なく生かし切ったという自負でもある。

性能を追い求め、究極のハードを目指したロクヨンは、任天堂自身のソフト開発者すらも苦しめた。ロクヨンの発売時、1996年6月に任天堂が開発して販売できたソフトはわずか2本。最初の年末商戦まで、その後の半年間も2本しか用意できなかった。ソフト開発者への要求レベルが高すぎたことの証左である。

だからゲームキューブの設計では、性能のピーク値を上げるよりもソフト開発者がゲームを作りやすくすることが優先された。言い換えれば、ソフト開発者がゲーム本来の面白さを追求できるような設計。それが、２００１年9月に発売されたゲームキューブだった。

任天堂がこだわって来たＲＯＭカートリッジによるソフト供給も捨て、ゲームキューブでは初めて光ディスクを採用した。ＤＶＤをもとにした直径8センチメートルの独自ディスクは、松下電器産業（現パナソニック）との共同開発だ。ディスクの採用でコストも下がり、ロクヨン発売時のソフトが９８００円だったところ、ゲームキューブ発売時は６８００円に抑えることに成功、ＰＳ向けソフトの平均価格帯に近づけた。

徹底してロクヨンの反省を生かしたゲームキューブだが、「ゲームの面白さにこだわる」という方針だけはロクヨンから踏襲する。ムービーや音楽でデータ容量が膨らんだソフトはいらない。そんな思いが、データ容量が16センチディスクの半分以下である8センチディスクの採用にもつながった。当時、普及し始めたＤＶＤの再生機能を搭載し、家電としての用途を強調するＰＳ2とは違う。ゲームに固執する強烈な思いがゲームキューブ発表の場の竹田の言葉に出た。

「かつてない最高傑作のゲーム機です。他社のように別分野で覇権を目指そうとは考えていない」

だが、結局ゲームキューブはロクヨン以上の不振に終わり、ＰＳ2にまるで歯が立たなかった。国内での販売台数はロクヨンの５５４万台を下回る４０４万台。世界でも２１７４万台と任天堂の家庭用ゲーム機の中で最も低い数字にとどまる。

一方、PS2は発売から2年強で国内1000万台、世界3000万台を達成し、2005年末に世界で1億台を超えるまでに普及した。

「私は今でもゲームキューブの設計思想やアウトプットを評価しています。明らかにロクヨンよりもゲームが作りやすくなった。でもそれだけでは物事は解決してくれなくて、実は同時に、もう1つのことが起こっていたんです」

岩田がそう語るように、確かにゲームキューブ本体の出来は良かった。効率的にゲームが開発できるようになり、最終的なソフトの国内向けタイトル数はロクヨンを上回る約280タイトルとなった。ハードの普及はロクヨン以下だったにもかかわらず、だ。ゲームキューブの基本設計の多くがWiiの設計にも生かされている事実からも、完成度の高さがうかがえる。

しかし、岩田の言う「もう一つのこと」が「最高傑作のゲーム機」の普及を阻んでいたのだ。

任天堂とソニーによる10年戦争。その第2ラウンドが始まった2000年頃から、ゲームソフトの販売はかつての勢いを完全に失っていた。

ハードは売れるがソフトは売れない。社団法人コンピュータエンターテインメント協会(CESA)によると、2000年1~12月、国内向けハードの出荷額はPS2発売の効果で、1892億円と前年比2倍増となった。一方、ソフト出荷額は2931億円と前年比11%減。翌

国内ゲーム市場の推移

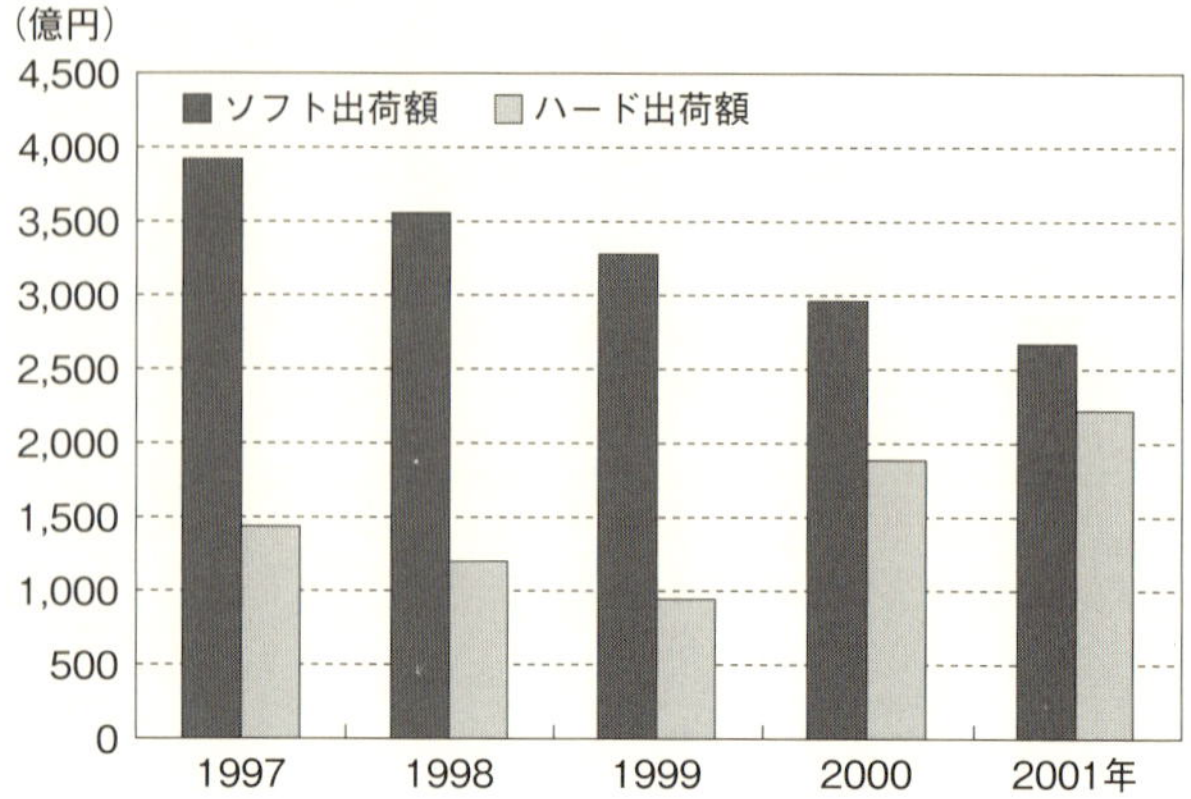

(出所) 2002 CESAゲーム白書

年もゲームキューブ発売の効果でハードの出荷額は伸びたが、ソフトは前年比10％減と、減少傾向に歯止めがかからない。

この現象を、ゲーム機の世代交代の狭間における一時的なものとして、さほど重要に捉えなかったゲーム業界の関係者は多い。しかし岩田の捉え方は違う。

「我々は声が大きくてゲームをいっぱい買ってくれる人の姿をつい見てしまう。そこに合わせたモノづくりをどんどんした結果、ゲームをやる人が減っているのではないか」

その気づきは、社長に就任した２００２年頃、明確なものとなった。山内から舵取りを引き継いでからまず、ゲーム産業に何が起きているのか、客観的に冷静に見極める作業を始めた岩田は、ゲーム離れが深刻な段階に来ていることを痛感したと語る。

「いろいろなことを考え、調べていくと、どの角度から見てもゲームをする人が減っていた。子供たちのゲーム参加率が減っているという意識は、そんなにない。だけど、ゲームを卒業するタイミングは早まっていた。それから、昔は、早く帰って家でゴロゴロする時間があったんですけど、そういう時間が世の中全体から失われていた。僕らがもっと素晴らしいゲームをと頑張った結果、時間やエネルギーをゲームに割けない人たちが『もういいや』と、静かに立ち去っていたのです。調べれば調べるほど、これは本当に深刻だと感じました」

岩田の身の回りでも、ゲームをする人がどんどん減っていた。例えば、取材に訪れる記者には「最近、ゲームで遊ばれていますか」と聞くことにしていた。ところが、ほとんどが頭を掻きながら「いやぁ、昔は遊んでいたんですけど、最近はちょっと……」と言う。

ゲーム業界の誰もが、画面が綺麗で3次元の世界があって、難しくて時間がかかって量が多いほど喜んでもらえると思っていた。でも、それは全員のニーズを満たしていない。そう、岩田は結論付けた。

ではPS2はなぜ売れるのか。それは、ゲーム機ではなく、DVD再生機として購入されているからではないかと岩田は考えた。実際、当初のPS2の価格は3万9800円とゲーム機としては高額だったが、DVD再生プレイヤーと比較すれば、半額から3分の2程度。この価格で最新のゲームを楽しむことができて、さらに昔買ったPSのソフトも遊ぶことができる。昔のように、人々はどうしてもゲームがやりたくてゲーム機を購入しているのではない……。

ならば自ずと社長としてやるべきことは決まってくる。

2003年9月、千葉県の幕張メッセ。アジア最大のゲーム見本市「東京ゲームショウ2003」の幕は、「ファミコンから20年、ゲーム産業の今とこれから」と題された基調講演で開いた。

ゲームの歴史を丹念に振り返りながら、人々がゲームから離れていった経緯を説明する岩田は、こう語った。

「ゲームから離れてしまったユーザーを呼び戻すことが必要です」――。

任天堂のトップが外に向かって初めて危機感を口にし、同時に、ゲーム人口の拡大に向かって動き出すという宣言が公になされた瞬間。社長に就いてから約1年間、任天堂が目指すべき方向を考え抜いた末の結論である。

この時、既にニンテンドーDSという回答は、試作段階に入っていた。社内では、反撃の仕込みが始まっていたのである。

第2章

DSとWii誕生秘話

「重要なのは次世代の技術ではなく
次世代のゲーム体験であり、
パワーが大切なのではない」
……岩田

レストランで生まれたDS

２００３年春のある日、岩田はソフト開発部門のトップを務める専務の宮本茂を引き連れて、近場のイタリアンレストランを訪れた。任天堂本社から歩いて数分のところに、１１６打席、最大２５０ヤードという規模のゴルフ練習場がある。岩田は、その2階にある「ＣＨＩＡＳＳＯ」のランチがお気に入りだ。手頃な値段で美味いセットが食べられる。

その頃2人は、新たな携帯型ゲーム機のコンセプト作りに悩んでいた。

ソニーとの10年戦争で苦戦する中で、会社を支え続けたのは、携帯型ゲーム機のゲームボーイである。その次世代機のヒントとして前社長の山内は、「2画面にしたらええ」と言い残して、経営を退いた。

普通に考えれば、２つの画面を利用するゲームは複雑で高度な方へと向かってしまう。2人にとって悩みの種でしかない。最初は無茶な注文に思えたが、この日のランチで宮本が言った一言が、すべてを解決した。

「1枚をタッチパネルにして組み合わせたら面白いよね」――。

据え置き型ではロクヨン、ゲームキューブと2世代続けて不振だったが、携帯型のゲームボーイは「ポケットモンスター」（ポケモン）の関連ソフトで絶大な人気を誇り、２００1年に発売した後継機ゲームボーイアドバンスも、ライバルを寄せ付けない不動の地位を築いていた。

ただ、携帯型ゲーム機で成功していたといっても安穏としてはいられない。据え置き型だろうが、携帯型だろうが、ゲーム自体から人々が離れているのだから。

２００2年、社長に就任してからゲーム離れという現象にいよいよ危機感を募らせた岩田は、とにかく議論を重ねることから始めた。

最も話した相手は「マリオ」や「ゼルダ」シリーズなどの生みの親で、任天堂のソフト部門、情報開発本部の本部長を務める宮本だ。ゲーム離れを食い止める新しいハードをゼロから開発しなければならない。そのためには、ソフトを知り尽くした宮本の力が不可欠だった。

「何で人はゲーム機に触らないのかな、何で人は逃げちゃうのかな」

2人の議論は、そこから始まった。近頃のゲーム機は、ボタンが何個も付いていて複雑すぎる。ソフトにしても高度な技術を要するものが増え、うまい人と初心者とのギャップが広がりすぎた。だから、人は怖がって後ずさりしてしまう。あるいは、敵視してしまうのではないか。そんな議論をしながら、ゲームのテーマについても2人の話は及んだ。

マリオが冒険を楽しむようなゲームがあってもいいけれど、それだけで良いのか。普通の人々の生活にも関係のあるテーマを選べば、ゲームを時間の無駄と考えてしまう人も興味を抱いてくれるのではないか。目指すべき方向がそう収斂《しゅうれん》していく中で宮本が思いついたのが、携帯型ゲーム機にタッチペンを使うというアイデアである。

1つの画面は直感的なインターフェースとして利用、もう1つの画面は、メイン画面として使う。これであれば、誰でも簡単に触れることができるし、ソフトの表現の幅も広がる。

宮本は、任天堂がエレクトロニクス玩具へと傾倒する契機となった往年の《ゲーム&ウオッチ》を彷彿とさせる形状でありながら、コンセプトはまったく違うハードの試作を急いだ。

2003年夏、宮本は風変わりな携帯情報端末を岩田に見せる。当時サラリーマンを中心に普及し始めていた、タッチペンで操作する「ポケットPC」に細工を施したものだ。

画面に出るキーボードに触れたり、手書きで文字を入力したりして、メールやスケジュール管理をすることができる小型の端末。宮本は、その縦長の画面の真ん中にテープのようなものを貼り付け、疑似的に2画面且つタッチペンで操作する端末を作ってしまった。

しかも画面にはマリオがいる。上から落ちてきたマリオをタッチペンで突いてやると、そのマリオがピョンピョン飛び跳ねるという、ごく簡単なプログラムを仕込ませてあった。

「あっ、これいいですねー」

「でしょ?」

シンプルな操作とシンプルなプログラムに相好を崩す岩田と宮本。DSの原型が固まった瞬間である。

折しも、据え置き型ゲーム機の市場を制圧したSCEが、今度は携帯型ゲーム機市場にも参入すると発表してから数カ月後のことだった。

「我々はプレイステーションのファミリーに新しい仲間を迎えることにしました。それはPSP。携帯型のプレイステーションです」

米国で毎年開催される世界最大のゲーム見本市「E3」(Electronic Entertainment Expo)。2003年5月、SCE社長の久夛良木は発表会の壇上でそう言うと、ポケットから「UMD」と呼ばれる独自方式の小さな光ディスクを取り出した。光ディスク装置を採用する初の携帯型ゲーム機。高性能のCPUを2つ搭載し、PS2並みのグラフィックス性能を持つという。

久夛良木はこの場で、「来年のE3で実機を見せ、来年末には全世界で発売する」と宣言。ゲームだけではなく、音楽や映画も楽しむことができる「21世紀のウォークマン」の発表は、任天堂の株価を大きく下げさせた。据え置き型ゲーム機でソニーに任天堂からシェアを奪った過去が、投資家の脳裏をよぎる。プレッシャーは大きい。

だが岩田は動じることなく、性能を追うソニーとは正反対の方向を突き進んだ。

DSの概要が決まった2003年8月、記者やアナリストを集めた経営方針説明会で、岩田はDSの一切の詳細を伏せたまま、小さな反撃をした。

「詳しいことは言えませんが、任天堂は新たな成長路線に向けて、誰でも手軽に楽しめる、今までとは異質の商品を開発しています」

年が明けて2004年1月、任天堂はPSPと同じ同年末に2画面の携帯型ゲーム機を発売すると発表し、その年5月のE3ではDSの実機を見せて会場を沸かせた。ゲーム人口拡大に向けた、初めてのハードのお披露目。メディアは見たこともないゲーム機を、期待を持って大きく報じた。

「進んでいる方向は間違ってはいない」。自信を深めた岩田の関心は、既にもう1つの戦略商品に移っていた。

Ｗｉｉの「お母さん至上主義」

岩田と宮本が中心となって2画面の携帯型ゲーム機の設計に思案を巡らせていた２００３年の前半、２人は総合開発本部のトップ、竹田を交え、新たな据え置き型ゲーム機の議論も深めていた。

竹田はファミコンからゲームキューブまで、任天堂のすべての据え置き型ゲーム機を開発して来たハードのプロ。その竹田に岩田がつけた注文がある。

「竹田さん、もうこれ以上性能ばっかり上げてもダメですよ」

「つまり、技術のロードマップを外れろということですね」

「はい、もう外れましょうよ」

それは、ゲーム機の進化の常識を逸脱した提案だった。

ゲームに特化したコンピュータ、特に据え置き型ゲーム機の進化は、パソコンの進化と重なる。演算処理の中枢であるＣＰＵやグラフィックプロセッサーといった半導体、ＤＶＤなどのディスクメディア、無線ＬＡＮなどのワイヤレス……。競争激化の中で各社は、ライバルよりも性能が高いゲーム機を作ろうとしのぎを削り、最先端の技術を採用して来た。

だから必然的に、技術が今後どう進化するのかという道筋、いわゆる「技術のロードマップ」を見極め、その進展に歩調を合わせながらゲーム機を開発することが常識となっていた。

任天堂も例外ではない。ロクヨンの開発では当時の技術の粋を尽くし、その反省と謳われたゲームキューブも、最高水準の性能を追い求めることはしなかったが、それでもロクヨンに比べれば遙かに高い処理能力があった。ロクヨンの発売からゲームキューブ発売まで、５年分の技術の進歩を素直に取り込んだ結果である。Ｗｉｉの発売はゲームキューブからさらに５年後。５年分の進化に応じた設計をするのが順当だ。

しかし岩田は、技術の進化をベースとする開発はもうやめようと言う。その代わりに示したのは、誰も経験したことのない、まったく新しいアプローチだった。

ゲーム機としての基本性能を向上させる技術は捨て、家族の機嫌をとるための技術は積極的に採用する、言わば「お母さん至上主義」の開発をやろうと言うのだ。

「子供がテレビゲームで遊んだ後、コントローラーが片付けられていないのを見て、お母さんがきーっとなっているとか、家には既に複数のゲーム機があって、お母さんはもう１台もいらないと思っているとか、とにかくゲーム機は邪魔に思われていたんです。だから、家族の誰からも嫌われないようにしないと、ゲーム人口の拡大なんかできっこないというのが、まずありました」

お母さんは高性能に喜ばない。だから、技術を起点とする設計は意味がない。では、お母さんは何を嫌い、何に喜ぶのか。お母さんのご機嫌を起点とする発想が、Ｗｉｉを特徴付けていく。

Ｗｉｉの特徴は、本体が同世代のライバル機、ＰＳ3やＸｂｏｘ３６０に比べて極端に小さいこと。本体を横置きした場合、面積はライバル機の半分以下、容積はＰＳ3の約6分の1、Ｘｂｏｘ３６０の約5分の1というコンパクト設計である。

これが、岩田が最初にこだわったポイントだ。

岩田が宮本、竹田の2人と会議をしていた時のこと。

「性能を追わない」「お母さんに嫌われない」というところまで議論が辿り着くと、岩田は突然、「少し待っていてください」と社長室へ行き、自分のＤＶＤケースを持って戻って来た。よくある縦長のパッケージ。それを2枚、3枚と重ねて言う。

「次世代機は、ＤＶＤケースが2、3枚くらいの容積にしましょうよ」

どのメーカーの据え置き型ゲーム機も、世代交代に連れて性能アップを誇示するかのように大きくなっている。それを、最初のゲーム機、ファミコンよりも小さくしようと言うのだ。

お母さん至上主義の立場からすれば、いいことずくめだと岩田は考えた。

本体が小さい方が邪魔だと思われない。小さいと発熱を抑える省電力設計を心がける必要があり、電気代の節約にもつながる。発熱が抑えられれば、部品を冷やす大きなファンを必要とせず、「ブーン」という耳障りな音を出さなくても済む。

高性能は、省スペース、省電力、静音という三位一体のメリットと相反する。ゲーム人口の拡大を経営の主眼に据えた任天堂にとって、どちらを選択するべきか、自明の理だった。

ただ、一般に高性能を嫌う技術者はいない。ライバルの動きも気になる。ソニー陣営も次世代機のPS3を開発している最中で、最大の売りはスーパーコンピュータ並みの処理性能。半導体の微細化技術を極めた独自開発のセル・プロセッサーに、9つ分のCPUを押し込めた。

マイクロソフトもIBMと一緒に「Power PC」というCPUの処理性能を高め、次世代機のXbox360で、旧世代より数倍高い処理性能を実現しようとしている。PowerPCを初めてゲーム機に採用したのは、他ならぬ任天堂だ。

先を急ぐライバル。ゲーム離れを目の当たりにし、高性能に未来はないという確信を得ていた岩田はまだしも、竹田を筆頭とする技術陣が気にならないはずがない。焦りや戸惑いはなかったのだろうかと竹田に水を向けると、こう言った。

「ないことはないですよ、技術屋ですから。このままでもマーケットはある程度あるじゃないかとか、そんなギャンブルをやって大丈夫なのとか、当然ながら出てくる。よそと違うことをやれと言われても、答えがない時、対案がない時はみんな不安ですよ」

だが、そう話す竹田は、早い段階で「違う方向へ技術力を振り向けるだけ。技術を捨てるわけではない」と腹をくくっていた。

小さな筐体に部品を押し込めようとすれば、ノート型パソコンのように設計が複雑になって、コストが上がる。いかに処理性能を犠牲にせず、省スペース、省電力、静音を実現し、なおかつコストも抑えるかという挑戦もまた、高度な技術力を要する。

「ゲームの技術っていかにもユニークのように見えるけれども、大きな流れから考えたらパソコンや携帯電話の技術と一緒。そんなの、お釈迦様の手の上で設計しているだけ。人と同じことをやっていてどうするんだよ」

竹田は配下に抱える技術陣に、こう語り、電力を一番消費する部品、CPUの開発にとりかかった。

高性能を追わないという方針とコストの観点から、次世代機ではゲームキューブの基本構造を踏襲して、改良を加えることにした。基本構造が同じであれば、ゲームキューブのソフトを遊ぶこともできる。PSと互換性があるPS2は、PSのソフト資産が無駄にならないことが1つの売りでもあった。

技術陣のまずの目標は、ゲームキューブ並みの性能でどのくらい消費電力を抑えることができるかである。

半導体は回路の線幅を細くすることで同じ大きさのチップにより多くの回路を詰め込み、処理能力を高めて来た。面積当たりの回路が多くなれば、多くの電流が流れ、発熱量が増える。任天堂は、この法則を逆手に取った。

つまり、線幅を細くして多くの回路を詰め込むのではなく、その分、チップのサイズを小さくして消費電力と発熱を抑えることを狙ったのだ。

当時の半導体技術は、0・18μメートル（μ＝マイクロは100万分の1）という線幅が全盛で、ゲームキューブで採用したCPUもそうだった。しかし、米インテルやIBMといった主要な半導体メーカーは既に、線幅が半分の0・09μメートルの半導体技術を発表しており、次世代機が発売される頃には量産体制が整うことが見えていた。

この技術をゲームキューブのCPUに応用したらどうなるか。開発チームは研究の結果、消費電力を約4分の1から3分の1に抑えるメドをつけた。ライバルが同じ微細化の技術で、「処理能力が何倍向上するか」を研究していた時、任天堂は「電力を何分の1にできるか」を研究していたのである。

消費電力を抑える研究は、CPUだけではなく、映像を司るグラフィックプロセッサーから無線技術、全体の構造にまで及んだ。その結果、チームは筐体のサイズを「DVDケース2、3枚」に収めるという無謀な注文に応える自信を深めていく。

その様子を傍らで見ていた岩田もまた、DSに続く新たなコンセプトの据え置き型ゲーム機を完成させる自信を深め、ＤＳに続く商品の予告に踏み切った。

Ｅ３でＤＳをお披露目し、その斬新なコンセプトで世界を驚かせてから1カ月後の２００４年6月。国内で開いた経営方針説明会で岩田は、新たな据え置き型ゲーム機を開発していることを初めてメディアに明かした。

「重要なのは次世代の技術ではなく次世代のゲーム体験であり、パワーが大切なのではない。先のＥ３で発表したＤＳで、この従来の延長線上にない異質な提案をしました。今度は据え置き型についても来年のＥ３で異質な提案をします。社内では『レボリューション』というコードネームで呼んでいるものです」

ゲーム離れを食い止め、ゲームに触ってもらうための具体的な最初の回答、ＤＳを見せた岩田は、次なる回答に「革命」という仮称をつけた。ＤＳのように誰もが直感的に遊ぶことができ、みんなが初めてファミコンに触れた時のような驚きを与えるという意味を込めて。

革新的な体験をユーザーに与えるアイデアは、既にあった。だが、アイデアを形にするまで、ここからさらに半年もかかることになる。

2006年5月9日、米ロサンゼルスのコダックシアターで行われたE3で、任天堂は満を持してWiiの全貌を発表した（写真提供：ロイター＝共同）

怖がられないリモコン

ＤＳと同じゲーム人口拡大という使命を背負ったレボリューションには、その名の通りゲーム業界に革命を起こすような「何か」が求められていた。

2画面とタッチペンという簡単で直感的なＤＳのインターフェースは、ゲーム機の敷居を大きく下げた。同じことを据え置き型でも実現しなければならない。コントローラーはインターフェースの要であり、妥協は許されなかった。

コントローラーについては早い段階から決まっていたことがある。「ワイヤレス」と「怖がられない」という2点だ。

岩田がゲーム離れの背景について宮本らと議論をしていた時、まず頭に浮かんだのは常に家族の手の届くところにあり、家族全員が触るテレビのリモコンだった。

ゲーム機のコントローラーは、ゲームをしない人は絶対に触らない。ゲーム機から伸びるコードは邪魔以外の何者でもなく、出ていればすぐに片付けられてしまう。だが、テレビのリモコンを邪険に扱う人は少ない。その差を考えた時、やはりワイヤレスであることが必須だった。

さらに、見た目のせいで怖がられてしまうのではないかと考えた。

最近のコントローラーには伝統的な十字キーとボタンに加えて、グリグリと回すレバーが付いたり、上面だけではなく側面にもボタンが付いたりと、やたらと突起物が増えている。それを見ただけで後ずさりしてしまう人が多いのではないか、と。

だから、シンプルで怖がられないものにする必要がある。加えて、DSと同様、やはり据え置き型でも直感的な操作ができるようにしたいという岩田の意見に、宮本や竹田も賛同した。

ところが、一筋縄ではいかない。

2004年半ばから本格化したコントローラーの開発は、その頃、DSの開発に集中していた岩田に代わって宮本を中心に行われた。竹田以下のチームが、直感操作を可能にするセンサー類など技術の種を見つけ、宮本らのチームが実装していく。

最初は、岩田の言うように、シンプルでテレビのリモコンのようなコントローラーを目指すところから始まった。だが、あらゆるセンサーを入れたコントローラーを作っては試す作業を繰り返すうちに、試作の形状は思わぬ方向へと向かっていく。

「あれは不評だった」と宮本が苦笑するのは、大きな円盤型のコントローラー。加速度センサーを仕込ませてあり、前後左右に傾けることで操作する。中央に大きな星形のボタン、その周囲に3つの小さなボタン。試作はオレンジ色で、その見た目から開発チームは「チェダーチーズ」と呼んでいた。

確かにシンプルでわかりやすい操作ができるが、目立って仕方がない。社内のゲームソフトのプロデューサーからも、「マリオやゼルダなど従来のゲームには不向き」と反対に遭う。宮本らのチームは、2カ月に1度、約40人のソフトの作り手を集めて、意見を聞いていた。

一方、DSと同じく「触る」類のセンサーもだいぶ試した。

開発チームは、画面の任意の箇所を指すパソコンのマウスのような「ポインティングデバイス」にも惹かれていた。「将来使うかもしれないからあまり言えない」と宮本は口を濁すが、ノート型パソコンでマウスを操作する「タッチパッド」の採用をかなり検討したようだ。

表はポインティングデバイスが付いたシンプルな横長のコントローラー。でも裏側はボタンがたくさんついた従来のコントローラー。そんな奇抜なタイプも含め、数十点に及ぶ試作を作るが、だが、「画面は向こうにあるのに、こっちを触るってどういうことだ」となり、どうもしっくりと来ない。

そんな時、竹田が持ち込んだ、あるセンサーが開発チームを救った。

「ちょっと、これを触ってみてよ。反応が良くなったから」

コントローラーの開発が本格化してから半年が経とうとしていた2004年の暮れ頃、竹田はカメラ部品を組み込んだ試作を披露した。

カメラ部品は、ビデオカメラやデジタルカメラの撮影用に広く利用されているＣＭＯＳセンサー。テレビ画面の近くに置いた２つの光源を撮影して、その動きをもとにコントローラーの先がどこを向いているかを推測すると言う。

通常のビデオカメラは、１秒間に30～60枚の絵を撮影している。人間の目で見る分には十分なレベルだが、ゲーム中に俊敏に動くコントローラーの動きを検知するとなると、通常の撮影速度では足りない。だが、竹田が提案したシステムでは、たった２つの光源の動きだけがわかれば良いので、１秒間に２００枚以上と、高速に動きを撮影して本体に渡すことができる。ダークホース登場である。

「快適に動きを追従できるね」「テレビに向けて使うから、見ている場所と一致して気持ちがいい」「これをコアユニットにして普通のコントローラーをつなげば、従来型のゲームも楽しめるね」……。

開発チームから沸き上がる賞賛の声。さらに形状の問題もクリアした。

テレビに向けるのだから、テレビのリモコンのように片手で縦に持つ使い方が自然だ。縦長のコントローラーに加速度センサーを入れれば、傾けたり、振り回したりする動きも検知できる。ボタン配置を工夫すれば、横にして使うことも可能だ。数々の課題が解決した上に、岩田が最初に言った「テレビのリモコンのような」という理想通りの形状に落ち着く。

コントローラーの開発チームの前に立ちこめていた霧が一気に晴れた思いだった。

かくして「振り回す」「テレビに向けて場所を指す」といった、かつてない直感的な操作方法を持つゲーム機、Ｗｉｉが誕生する。

これなら、ゲームをやらない中高年でも違和感なく触ることができる。ゲーム機史上、初めてコントローラーを「リモコン」と呼ぶことにしたのは、岩田のこだわりだ。

この後、Ｗｉｉの開発チームは、「家族から嫌われないゲーム機」から「家族全員に関係のあるゲーム機」へと昇華させる仕掛け作りに専念することになる。

毎日、何かが新しい

E3の開催が数週間後に迫った2005年5月、岩田は社長室で発表会でのプレゼンテーションの内容を決めあぐねていた。

前年の経営方針説明会で「据え置き型ゲーム機の異質な提案をする」と宣言した手前、レボリューションの具体像を示さなければならない。ハードの仕様が固まり、コントローラーもほぼ完成の状態にあった。E3に間に合うようにと、宮本たちが釣りやテニスなど、ゲームソフトのサンプルを幾つか作ってくれ、実際に遊んでみてかなりの手応えも得ていた。

国内では、DSが、ほぼ同時に発売されたSCEのPSPを大きく上回る好調な売れ行きを見せており、犬の育成ゲームのニンテンドッグスも話題となっている。ゲーム人口拡大戦略は市場から評価され始め、岩田は「自信を持ってWiiのプレゼンができるな」と思っていた。

しかし岩田は、本体の概要と、ちょうど数週間前に固まったばかりのWiiのデザインを見せるにとどめ、コントローラーに詰まった新しい提案は伏せることに決める。

アイデアが他社にマネされた苦い経験がそうさせた。ロクヨンの発売前に明かしたコントローラーを振動させるという案は、結局ＳＣＥのＰＳに先に実現されてしまった。
もう１つ理由がある。岩田はまだ、自信を持ってＷｉｉを披露できるとは思っていなかった。まだ、やることがあると。

「邪魔者扱いされない」「怖がられない」「嫌われない」……。

ハードの仕様策定が中心だったＷｉｉの開発前期では、マイナス要素を削ることに主眼が置かれた。ＤＳと同じく据え置き型でも、従来のゲームの巧拙が通じず、誰もが同じスタートラインに立てるインターフェースを開発するところまでは来た。

だが、それだけで岩田は満足しなかった。

「ＤＳで手応えを得れば得るほど、本当に据え置き型っているのだろうかと、竹田が聞いたら肝を冷やしそうな話をたくさんしました（笑）。液晶テレビに映るのが据え置き型で、小型液晶に映るのが携帯型というだけではダメでしょうと。据え置き型ならではの魅力や存在意義って何だろうということを、ものすごく議論しました」

そう話す岩田は、コントローラーの開発が一段落着いた２００５年の初め、宮本と竹田に向けて、こんなメモを書いた。

「Ｗｉｉはテレビにチャンネルを増やすような機械にしたい」――。

細切れの時間をいつでもどこでも使える携帯型ゲーム機に比べ、据え置き型には毎日電源を入れてもらう強い動機がいる。脳トレやニンテンドッグスといったゲームをやらない人でも楽しめるソフトも当然作るが、それだけでは足りない。

テレビは家族全員の共有物。みんなで見る番組があれば、子供だけが見る番組もある。見たい番組が重なれば、チャンネル争いも起きる。同じようにＷｉｉも、家族全員に関係があり、毎日誰かが見たくなるようなチャンネルの１つでありたい。それこそが、据え置き型の存在意義なのではないか。メモ書きには、そんな思いを込めた。

この難問に答えたのは、またしても竹田である。

竹田が提示したのは、「毎日新しい」というコンセプト。毎日電源を入れてもらうには、例えば天気予報やニュースのように、毎日新しいものが、それも家族全員が興味のある何かがあれば良い。

Ｗｉｉはインターネットへの接続を前提としており、常に更新される情報を自動的にダウンロードする仕組みがあれば、毎日新しいＷｉｉができる。

こうした本体の機能に依存するアイデアやプロジェクトは、当時、任天堂の社内に幾つも存在していた。昔は、ハードを作り、ハードで動かすソフトを作るだけで良かったが、今度はハードの中に数々のソフトを入れておく必要がある。もはや、ソフト、ハードと区別できる作業ではない。

２００５年10月、岩田が「任天堂の歴史の中で最も横につながっていた」と言う、部署横断型のチームが結成される。社内の様々な部門から精鋭25人を集めた「本体機能チーム」である。

チームの作業は、Ｗｉｉを起動した時の画面デザインを決めるところから始まった。

パッケージとしてのゲームソフト、ダウンロードしたソフト、ニュース、天気予報……。既に多くのメニューが本体機能として挙がっている。それらをわかりやすく見せるには、どうすれば良いのか。

メンバーの1人が思いついたのが、家電量販店などでテレビが並んでいる光景だった。そこから、起動直後に小さなテレビの枠が均等に並んでいるメニュー画面のデザインが生まれた。

ゲームソフトが本体に入っている場合、電源を入れれば自動的にゲームが起動するのはゲーム機の常識である。それを、本体機能チームはいったんメニュー画面を見せるどころか、ゲームソフトの枠を大きくするわけでもなく、他のメニューと並列に扱うことにした。ゲームソフトに興味がない人に向けたメニューも、ちゃんと見せたかったからだ。

そのメニュー画面を見たもう1人のメンバーが言う。

「それって、テレビのチャンネルですよね」

自然とメニュー画面は「Ｗｉｉチャンネル」と名付けられた。岩田は言う。

「私はＷｉｉ全体の1つのコンセプトとしてチャンネルということを話しただけで、Ｗｉｉチャンネルは本体機能チームが選んだ言葉なんですね。何という偶然だという話ですが、結果的に目指したものは同じになったんです」

本体機能チームは、家族のコミュニケーションにこだわり、団らんを支援するような機能を次々と増やしていく。その最たるものが「Wii伝言板」だ。家族から家族へメッセージを送る掲示板のような機能。イメージは冷蔵庫に貼り付けた、お母さんから子供への伝言。見た目も、ボードにメモ用紙をピンで刺したようなデザインにした。

この伝言板機能には、ゲームをした時間や得点などの「プレイ履歴」が自動的に記録される機能もある。この履歴は、消すことができない。岩田の強い要望だ。

もともと岩田は、「親が1日1時間と決めたら自動的に電源が切れるようにしたらどうですかね」と、ゲーム会社の社長にあるまじき提案をしていた。それほど、ゲームが家族全員に関係があって健全なものであって欲しい、という思いが強かった。

伝言板の他にも、本体機能チームは家族の団らんのネタになりそうなチャンネルを幾つも開発していった。

デジタルカメラで撮影した写真を音楽付きで閲覧できる「写真チャンネル」。自分や家族、友達などの似顔絵を作成し、ゲームのキャラクターとしても利用できるようにする「似顔絵チャンネル」……。

ニュースや天気予報など、毎日新しい情報を運ぶチャンネルも、「WiiConnect24」という機能とともに実現した。これは、電源をオフにした状態でもネットからの情報収集を続ける機能。そのために竹田以下の技術陣は、恐るべき低消費電力の眠らないマシンを完成させた。

そもそも、DVDケース2、3枚分という省スペースに収めるためには、消費電力を小さくして発熱を抑える必要があった。24時間眠らないという機能は、さらにハードルを高くする。Wiiは一貫してお母さんに嫌われてはならない。コンセプトは良いが、お母さんを怒らせてしまうような機能であれば、元の木阿弥。夜中も動かすとなると、かなり消費電力を抑え、静音にも気を遣う必要がある。しかも岩田は「寝ている間は、絶対にファンを止めなきゃダメですよ。ファンの音がしたらお母さんが電源を抜いちゃうから」といい続けた。技術を知る人間であれば無謀に近い注文。だが、竹田以下の技術陣はやってのけた。

最も低消費電力に貢献したのは、面積を18・9㎟と極小に抑えたCPUだった。処理能力を、ゲームキューブのCPUより2倍近く上げたにもかかわらず、大きさは半分以下。その分、消費電力と発熱も抑えられた。ちなみに、同世代のPS3に搭載されているCPUの面積は228㎟と10倍以上。ゲームプレイ時の消費電力も、Wiiの10倍以上ある。

このCPUの貢献に加え、小さな工夫を重ねた結果、待機時にファンを止めながら通信機能だけを維持することに成功、消費電力を岩田曰く「豆電球程度」に抑えることができた。

ある調査によると、WiiConnect24を利用している時の電力消費量は9ワット／時間と、豆電球で言えば9個分に相当するようだが、それでも全国の電力会社の平均単価（1キロワット／時＝22円）で計算してみると、年間約1730円の電気代で済む。1日5時間Wiiをオンにして遊んだ場合でも、電気代は年間2000円程度。PS3やXbox360は年間8000円程度と4倍の差があり、その消費電力の低さは目を見張るものがある。

だからこそ任天堂は、家族全員に関係する、毎日新しい試みをWiiに加えることができた。

2006年5月、任天堂はE3に合わせた発表会で、満を持してレボリューション改めWiiの全貌を見せた。

アカデミー賞の授賞式で知られる米ロサンゼルスのコダックシアターで、Wiiリモコンを持って最初に登壇したのは宮本だ。リモコンを振り回して遊ぶ様子を、聴衆は固唾を呑んで見守った。

最後に登場した岩田が、リモコンからWiiConnect24まで、自分の言葉で説明し、こう締めくくった。

「毎日何かが新しい。誰に対しても毎日。これが我々の答えです」

会場からは、割れんばかりの拍手が岩田と宮本、2人の天才へと贈られた。

第3章

岩田と宮本、禁欲の経営

「私の名刺には、社長と書いてありますが（中略）頭の中はゲーム開発者です。
でも（中略）心はゲーマー（ゲームファン）です」

……岩田

「俺たちの作っているモノより、メールを打つ方が楽しいんだよ。
お題の文章を送って、全国で誰が一番速く打つかを競争したら、
日本で一番面白いゲームができるかもしれないな」

……宮本

勝って驕らず

2008年6月27日午前10時前、曇天の中、500人以上の株主が京都の任天堂本社に足を運んだ。白い要塞のような本社の7階会議室で開かれる、2007年度の定時株主総会に参加する面々だ。

監査役より短い監査報告の後、岩田からの事業報告に入る。売上高、営業利益、純利益のすべてが過去最高を記録。Ｗｉｉが業績に大きく寄与した。ＤＳのビジネスも引き続き好調で、100万本以上が売れたミリオンセラーのソフトは、前期末から2倍の57タイトルに増えた。

申し分ない業績。だが岩田は、浮かれることなく泰然と構え、質疑応答の中でこう語る。

「内在するリスクは、組織に慢心や油断が生まれることです。追い風に恵まれ、お客さんに支持していただいた結果ですが、社内にこうなって当然と考える者も出て来る。それを、いかに食い止めるかを考えています」

どれだけ好調が続こうが、岩田は決して倦《う》まず弛《たゆ》まず、謙虚な姿勢を崩さない。

岩田が社長就任を機に取り組み始めたゲーム人口拡大戦略。その狙いは俄然当たり、任天堂という会社に莫大な収益を、しかも短期間でもたらした。この成功は、論理的で経済原理にかなった戦略であり、岩田のことを極めて優秀な戦略家だと見る向きもある。

つまり、ゲームプラットフォームのビジネスにおいて、世界のソニーとマイクロソフトを敵に回し、競争が激化する中、任天堂は既に〝血の海〟となっている既存の市場に未来はないと早々に見切りをつけ、ゲームをやらない普通の人をターゲットに競争のない〝ブルーオーシャン〟に打って出た。それが成功の要因だ、という分析である。

しかし岩田は、こう話す。

「今日起こっているような現象を、『いやぁ、前からわかっていました』と言えたら格好いいんですけど、そんなことはない。方向は正しいという自信はあっても、こういうスピードでこういうことが起こるとは思っていませんでしたというのが正直なところです。ああ、物事が変わる時というのは一気に変わるんだなと、逆に感じているくらいで、世の中の皆さんが何をきっかけに大きく反応してくださるのかというのはわからない」

岩田が臆面もなく、こう言い切るのは、結果のために正しいと思うことをしたのではなく、正しいと思うことをしたら結果がついて来たからである。

正しいと思うこととは、ゲーム離れを食い止め、ゲーム人口を拡大することであり、そのために、どうしたらゲーム機が家族から邪魔に思われないか、家族全員に関係のあるものになるかということを愚直に追求することである。

だから、正しいと思うことが市場のお墨付きを得て、予想を上回る結果が出たとしても、それに慢心したり、戦略を変更したりすることはしない。言い換えれば、調子に乗ることはない。

例えばWiiは、任天堂にとって初の本格的なインターネットビジネスのインフラであり、従来のゲーム機にはなかった収益機会を2つも生んだ。1つはWiiチャンネルだ。

ネットに接続するとニュースや天気予報、テレビ番組表といったサービスを最大48種類まで任意で登録することができるWiiチャンネルは、ゲーム機の機能を超えたポータルと言ってよい。Wiiの国内での普及台数は2008年12月時点で約780万台。ネット接続率は約4割。既に310万台を囲い込んだ国内最大規模のテレビポータルと称することもできる。世界に目を広げれば、その数字は1800万台以上。おそらく単一のテレビ向けポータルサービスとして、世界最大だろう。

人が集まれば当然、メディアとしての価値が高くなる。収益を任天堂と分配してでもWiiチャンネルの1つとしてコンテンツを提供したいと考える企業が増えるのは当然。その1社が、単独企業として初めて、Wiiチャンネルの枠を確保した富士フイルムだ。

2008年7月に追加された「Wiiデジカメプリントチャンネル」では、「SDメモリーカード」の写真をWiiに取り込み、富士フイルムの写真プリントサービスに注文することができる。

プリントだけではなく、スーパーマリオシリーズのキャラクターをあしらったアルバムや、Wiiで作った似顔絵入りの名刺を注文できるなど、任天堂らしい仕掛けも忘れない。

こうした、電子商取引のインフラとしての活用を望む企業は、他にもいる。

「地域の大型スーパーから毎日、特売品のチラシが届いたらお母さんが喜ぶ」「季節に合った地方の特産物をお取り寄せできたら家族の団らんにつながる」……。

小売り最大手のセブン&アイ・ホールディングスや、ネット商店街最大手の楽天など、「Wiiチャンネルに興味がある」とする企業は多く、その可能性は無限に広がっている。企業からの利用料に加え、いずれは広告媒体として、莫大な広告料を得る潜在能力も秘めている。

しかし、岩田にそういった仮説をぶつけると、意外な答えが返ってくるのである。

「Wiiチャンネルで稼ぎます、新しい収益源ですと言っても、それはまだ『取らぬ狸の皮算用』だと思いますし、そのために作ったのではない。結果的にゲーム以外の何かが稼げる日が来るかもしれません、という程度なんです」

あくまでWiiチャンネルは、どうしたら家族全員に関係があるようになるのか、どうしたら毎日電源を入れてもらえるのかを考え、その手段として作ったもの。収益機会としての模索は、二の次だと、岩田は言うのだ。

「何か世の中のネットビジネスって、ものすごく空想で成り立っていて、夢を語ることが先行しすぎていると僕らは思っている。例えば、実はこのページは毎日、世界中で3000万人が見ているという実績ができたら、それをどう利用すればいいか、後から考えればいいんですよ」

Ｗｉｉチャンネルが生んだ本業に関わる新たな収益機会はどうか。「バーチャルコンソール」という、ソフトのダウンロードサービスについても、岩田の姿勢はぶれない。

バーチャルコンソールは、ファミコンやロクヨンなど、過去のゲーム機向けに発売されたソフトをＷｉｉ向けに500円から1000円程度で配信するサービス。Ｗｉｉの発売から約1年、2007年末の時点で約780万件のダウンロード、35億円の売り上げがあった。

同じ金額を、その後、わずか3カ月間で稼いでおり、遊休資産だったソフトが、再び日の目を見ている。

だが、バーチャルコンソールの発端も、「なぜゲーム機は邪魔者扱いされるのか」という議論であり、「儲け」ではない。

任天堂の据え置き型ゲーム機は、Ｗｉｉまで1度も前世代のゲーム機と互換性がなく、古いゲーム機のソフトは古いゲーム機でしか動かない。テレビの前にいろんなゲーム機が並ぶと、お母さんは怒る。だけど、そこへ「昔の機械は全部片付けてもいいよ」と言えたら家庭に入りやすくなると考えたのが、きっかけだった。

Ｗｉｉの開発初期、岩田は竹田に冗談とも本気とも取れないことを言ったことがある。

「差し込み口が6つぐらいある、あらゆるハードのカセットが差せるというゲーム機は、どうですかね」

これを聞いた竹田は、岩田のいないところで「社長は本気なんだろうか」と真剣に悩んだことがあったという。

「思いは本気で手段は半分冗談」というのが正解。結局は、ネットの向こうからあらゆるゲーム機のソフトをダウンロードできる、仮想的な手段に落ちついたというわけだ。

ファミコンソフトをゲーム&ウオッチのようなハードに入れたレトロなおもちゃ、《ファミコンミニ》も後を押した。2004年に発売された企画商品だが、過去への郷愁や、昔買ってもらえなかった悔しさを大人となったファミコン世代に呼び覚まし、ヒットにつながった。

「懐かしさ」も再びゲーム機に触ってもらえる訴求力になるのでは。そんな気づきも、バーチャルコンソールの開発の根底にはある。だから岩田は、「タダで売りたいとは思わないけれど、大儲けしたいとも思ってない」と言い切ってしまうのだ。

ただ一方で、岩田は結果がついてくる自信も持ち合わせる。

「意外と大きな収益源になる可能性はある。新作を作るのに比べたら、ずっと少ないエネルギーでできるわけですから。多くのゲーム屋さんが手掛けている携帯電話向けのゲームよりは、私は遙かに稼げる自信はあります」

初心を忘れず慢心しない姿勢と経営者としての揺るぎない自信の絶妙なバランスを備える岩田。

その人物像の深淵に迫ってみたい。

心はゲーマー、岩田聡

当時はレボリューションと呼んでいたWiiを、リモコンを隠したまま披露した2005年のE3。その2カ月前、米サンフランシスコ。ゲームソフトの開発者が世界中から集まる「ゲームディベロッパーズカンファレンス」に岩田の姿があった。イベントの4日目、米マイクロソフトの副社長に続いて基調講演に登壇した岩田は、自身の名刺を掲げ、英語で言った。

「私の名刺には、社長と書いてありますが……」。次に頭を指しながら「頭の中はゲーム開発者です。でも……」。今度は胸に手を当てながら言う。「心はゲーマー（ゲームファン）です」。

岩田聡という人物の本質を見事に表現した自己紹介は、観客の心を一瞬にして掴んだ。

ゲーム人口の拡大に粉骨砕身し、成功を収めても、なお初心を忘れない岩田の源流を追うと、やはりどこまで行っても「ゲーム」がついて回る。

1959年12月、北海道札幌市で生を受けた岩田は、北海道庁で職員を務めていた父の長男として不自由なく育てられ、学校では学級委員長やクラブの部長、生徒会長を務めるなどリーダーシップを発揮してきた。そんな岩田が初めてコンピュータと出会ったのは、道立の北海道札幌南高等学校に通っていた時だ。

政財界に多くの著名人を輩出している市内随一の進学校。制服がないなど自主自律の校訓を掲げる自由な校風の中、岩田は皿洗いなどのアルバイトで貯めたお金に父親から得たお金を足して、「ポケコン（ポケット・コンピュータ）」と呼ばれていた米ヒューレット・パッカード製の関数電卓を手に入れる。

プログラムが書ける世界初の電卓。1974年に登場した時は電子工学の驚異と言われ、1975年に行われた米ソ初の共同宇宙飛行「アポロ・ソユーズテスト計画」では宇宙でアンテナの角度計算などに用いられた。

まだ、パソコンという言葉がない時代に、岩田はこの関数電卓を使って独学でプログラミングにのめり込み、バレーボールやミサイル射撃といったゲームを作っては同級生と一緒に遊んでいたのだ。

コンピュータに魅せられた岩田は1978年、東京工業大学情報工学科に入学。今度は入学祝い金などを原資とし、モノクロディスプレイ、キーボードにデータ読み取り用のカセット装置が一体となった米コモドール製のコンピュータを買う。世界初のオールインワン・パソコンだ。

プログラミングをしてはカセットテープに入れ、毎週のように西武百貨店のパソコンショップ

岩田聡の足跡

時期	出来事
1959 年 12 月 6 日（0 歳）	北海道札幌市で生まれる
1975 年 4 月（15 歳）	北海道札幌南高等学校に入学。 2 年生の時に初めてプログラミングを覚える
1978 年 4 月（18 歳）	東京工業大学情報工学科に入学。 2 年生から「ハル研究所」でアルバイトを始める
1982 年 4 月（22 歳）	大学卒業後、ハル研究所に入社。 ゲームソフト開発を主導する
1984 年（24 歳）	取締役に就任。 ファミコン向けソフトの開発に着手する
1993 年 3 月（33 歳）	代表取締役社長に就任。 任天堂の支援を受け、経営再建に取り組む
1999 年 5 月（39 歳）	負債の完済を機に社長を退任、相談役に就任
2000 年 6 月（40 歳）	山内溥社長に請われ任天堂へ入社。 取締役経営企画室室長に就任
2002 年 5 月（42 歳）	山内社長に指名され、代表取締役社長に就任

に持って行っては、見せびらかす日々。常連となった岩田は大学2年生の時、そのショップの店員が設立に関わったハル研究所という会社に誘われ、ついに仕事としてゲームソフト作りに携わる。

映画「2001年宇宙の旅」に登場するコンピュータ「HAL」は、アルファベットを1文字ずつ後にずらすと「IBM」になる。ハル研究所の社名はこれに想起し、「IBMの1歩先を行く」という意味で付けられた。

壮大なネーミングだが、設立当初の社員は数人、場所は秋葉原のマンションの1室。当時は「マイコン」と呼ばれブームになりつつあったパソコン関連の周辺機器を開発、販売する仕事が主で、ゲームソフトの開発者は事実上、アルバイトの岩田1人だけだった。

ちょうどアルバイトを始めた年、父親の故・岩田弘志は室蘭市の市長選で初当選している。以降、4期にわたって室蘭市の財政再建に骨身を削り、室蘭港をまたぐ東日本最大のつり橋「白鳥大橋」の建設や、閉鎖を予定していた新日本製鐵の高炉を存続させるなど、室蘭に多大なる功績を残した。

市長の息子となった岩田。大学は超がつく一流。しかし岩田はエリート街道には興味がない。大学を4年で卒業した後も無名のハル研究所に居着くほど、ゲームに取り憑かれていた。ゲームソフトの開発担当として1号社員となった岩田には先輩がいない。それでもマイコン向けのゲームソフトを作り、1人で腕を磨いていく。

衝撃を受けたのは、入社2年目、1983年のこと。任天堂がゲーム専用機のファミコンを、マイコンに比べれば破格の値段、1万5000円で発売したからだ。

「ソフトを作らせてください」

岩田の足は、自然と任天堂の本社がある京都へ向かっていた。岩田と任天堂の蜜月の始まりだ。

当時はまだ、岩田のようなゲームソフトのプログラマーは希少な時代。岩田の飛び込み営業は、ソフトの内製体制が整っていなかった任天堂にとって、願ってもない話だった。

《ゴルフ》《ピンボール》《F1レース》……。ハル研究所は、ファミコン初期を支えた、これら任天堂製の有名ソフトの仕事を請け負うことに成功し、信任を得ていく。1984年、任天堂がハル研究所へ出資したことが、任天堂にとって欠かせない「セカンドパーティー」（相手先ブランドのソフト開発を受託するメーカー）となった証左だ。

1人、また1人と仲間が増え、規模拡大へ向かうハル研究所。自社名でもファミコンソフトを幾つも出すまでに育つ一方、連射機能付きコントローラーなどファミコン向けの周辺機器でもヒットを飛ばし、名の知れたゲーム会社へと育つ。マネジメント業務が多くなった岩田の肩書きは、取締役となっていた。

だが、急成長を遂げたハル研究所は1992年、窮地に立たされる。和議（民事再生法に当たる）を申請し、事実上の倒産状態に陥ったのだ。

社員数が90人近くに膨らんだハル研究所は前年の1991年、拠点を東京から山梨に移転し、ソフト開発部門の強化を図っていた。ところが折しもバブル景気の終焉を迎えようとしていた頃。新拠点の建設費用のほとんどを銀行から借り入れており、ゲームソフトの不振も重なって急速に資金繰りが悪化した末の、和議だった。

この時、開発資金を供与するなどの支援を表明したのが、任天堂である。

ハル研究所の手腕を買っていた当時の任天堂社長、山内がある条件と引き替えに、開発資金を供与することを決めた。条件とは、「岩田を再建に当たる社長とすること」である。

ひたすらゲーム作りに没頭してきた岩田にとって、初の経営。負債は減額されたとは言え、15億円も残っている。借金の一部は、返済できなかった場合、社長である岩田が保証しなければならない。それでも茨の道を進むことに決めたのは、ゲーム作りへの探求心が枯れることがなかったからだ。

岩田は語る。

「私は、ゲーム作りそのものに、奥深さ、凄みみたいなものを感じるんです。ある1つのゲームを組み立てるということは、操作と遊びの構造を一体化させながら、何かのテーマ、コンセプトを貫いて延々と試行錯誤を繰り返すということ。膨大な可能性を追求して、究めるように収束させていく。そんな風に作られるものって、他にあまりないんじゃないかと感じるんです」

言わば、岩田にとってゲーム作りとは求道である。修行に似た、辛く厳しいプロセスを抜けた時、1つの完成したソフト、真理を得ることができる。その連続には終わりのない奥深さがあり、岩田はすっかりその深さに魅了されてしまっていた。高校時代から誰よりもゲームを愛し、面白いゲームを作ることだけを考えて、ここまで来たのである。

だから、茨の道だろうとリスクがあろうと、岩田に経営再建を投げ出すという選択肢はない。社長となり、愚直にゲーム作りと対峙する岩田の執念は、2つのヒット作を生む。

1992年に発売されたゲームボーイ向けソフト《星のカービィ》と、1999年に発売されたロクヨン向けソフト《ニンテンドウオールスター！　大乱闘スマッシュブラザーズ》（スマブラ）。いずれも任天堂製として発売されたが、ハル研究所が黒子として開発を担当、時には岩田が自らプログラムを書き、完成させた。

星のカービィは風船のようなピンクの可愛らしいキャラクター、カービィを主人公としたアクションゲーム。掃除機のように敵やアイテムを吸い、吐き出して攻撃するという新しいスタイルのゲームは、販売本数500万本と、ハル研究所最大の大ヒットとなった。

その後も任天堂とハル研究所は、ファミコン向け《星のカービィ　夢の泉の物語》など、6年間で8タイトルものシリーズ作品を次々と登場させ、カービィはマリオやポケモンに匹敵する人気キャラクターへと育つ。シリーズ累計の販売本数は、世界で2000万本を超えている。

格闘ゲームのスマブラも、販売本数約200万本とロクヨン向けソフトで2位のヒットを記録。格闘ゲームと言えば、1対1で敵と戦い、キックやパンチ、武器で攻撃して敵の体力をゼロにするというのが王道。

だがスマブラでは、ベーゴマのように、相手を舞台からはじき飛ばすことを目的とした。しかも、敵は1人ではない。マリオやドンキーコング、カービィといったお馴染みのキャラクターが複数入り乱れて戦うという、新しいジャンルを切り開いた。

2006年12月、日本外国特派員協会で記者の質問に答える岩田（右）と宮本。岩田は同じゲームクリエイターとして、宮本の背中を追い続けてきた（写真提供：時事通信社）

一風変わった作品でヒットを生んだハル研究所は、1999年、わずか6年で15億円の負債を完済し、岩田は見事に経営再建を果たす。

「おかげさまで無事、再建することができました」

2000年、岩田が挨拶に出向いた際、山内は「任天堂に来ないか」と、経営者としての実績を積んだ岩田を誘った。当時の任天堂は、ソニー陣営に押され、苦境に喘いでいた時期。これも新たな求道。岩田は「恩返しする時が来た」と快諾した。

岩田が首を縦に振ったのには、もう1つの理由がある。尊敬する宮本と同じ釜の飯を食えることが、岩田は何より嬉しかった。

文法破る、世界の宮本茂

米『TIME』誌が毎年行っている企画「世界で最も影響力がある100人」に毎回ノミネートされる常連。2007年版ではトヨタ自動車の渡辺捷昭社長（当時）とともに2人しかいない日本人の1人に選ばれ、2008年版では電子版の読者投票で200万票を獲得してトップに立った、世界の有名人がいる。

その人物こそ、任天堂の専務、宮本茂である。

宮本は、日本よりむしろ米国をはじめとする海外での方が有名だし、人気もある。1980年代初め、米国の若者を夢中にさせた業務用ゲーム機ドンキーコングや、以降、20年以上にわたって人気を博しているキャラクター、マリオ。それらの生みの親として、「ミヤモト」の名は海外で広く知れ渡っており、これまでに権威ある賞を何度も受賞している。

例えばナポレオン1世が制定したフランスで最も栄誉ある勲章「レジオン・ドヌール勲章」の5等に当たる「シュヴァリエ賞」を2006年に授かり、2007年には英国の経済誌『The

Economist』からコンシューマー製品における「革新賞」を与えられた。その他、賞を数えれば枚挙にいとまがない。

そんな宮本を岩田は尊敬する人物に挙げ、同じゲームクリエイターとして技を盗もうと、常に彼の背中を見ながら追い続けて来た。今でこそ会社での役職は逆転しているが、未だに「世界一の宮本ウォッチャー」を自認し、「ゲームの基本文法を定めた人物」として敬意を失うことはない。

岩田が「ゲームの基本文法を定めた本人が、その文法を破ってしまうようなもの」と表現するように、最近の宮本は健康を目的としたWiiフィットなどゲームらしくないゲームの開発にも積極的に乗り出しており、その革新性がさらに世界の評判を上げている。

海外では、しばしば「伝説的な」や「天才の」といった冠言葉で紹介される宮本。そのルーツは、京都の郊外、どこにでもあるような「裏山」にある。

スーパーマリオシリーズやTVコマーシャルの音楽でも話題の最新作「ピクミン」の舞台は、幼いころに遊んだ園部高近くのこむぎ山、天神山です。忠魂碑の建つ頂上付近から斜面にかけて毎日のように洞くつ探検したり、探偵団バッジをつけて駆け回ったり……

京都府園部町（現・南丹市）出身の宮本が2001年、「丹波発ふるさとの君たちへ」という地元紙、京都新聞のコラムに寄稿した文章の冒頭だ。

泥だらけになって野山を駆け回り、川で魚を釣り、洞くつを探検した幼少時代。後にゲームの原風景となる思い出が、そこには詰まっている。

京都駅から山陰本線で1時間弱。自然に囲まれた人口わずか1万数千人の小さな町で宮本は育ち、小中高と園部の公立校で学んだ。

無邪気に、やんちゃに遊び回る一方、小学1年の時、担任の先生に絵を褒められて、描くことが好きになった。中学に入ると、同級生と「漫画研究会」を発足させるほど、漫画を描くことにのめり込む。園部高校では山岳部に入部。リュックに砂を詰め、「こむぎ山」でトレーニングをしたこともある。

プラモデルなど工作や玩具も好きだった宮本は、絵心と造形への興味を同時に満たすことができる工業デザインを学ぼうと、金沢市立美術工芸大学に入学する。

音楽を覚えたのはこの頃だ。ギターを独学で学び、友人とバンドを組んだ。下手ながらも友人たちと音を合わせる喜びを知った経験は、素人でもコントローラーを振るだけでセッションできる音楽ゲーム《Ｗｉｉミュージック》に生かされている。

奔放に育ち、あらゆる遊びを経験した宮本は卒業を控え、地元、京都の玩具メーカーが何やら楽しそうに思えて、就職の面接に出向いた。当時の任天堂は、脱・カードメーカー路線の最中。ビデオゲーム市場へと乗り込もうとしている時で、任天堂としても美術や工業デザインを学んだ

宮本茂の足跡

時期	出来事
1952年11月16日（0歳）	京都府園部町（現・南丹市）で生まれる
1965年（12歳）	園部町立園部中学校に入学。 漫画を描くことに没頭し、「漫画研究会」を結成
1977年4月（24歳）	金沢市立美術工芸大学で工業デザインを専攻の後、任天堂に入社
1980年（27歳）	業務用ゲーム機《ドンキーコング》の開発に携わり、マリオを生む
1984年（31歳）	情報開発部開発課長に就任。 ファミコン向けゲーム《スーパーマリオ》を開発する
1996年（43歳）	情報開発部の格上げに伴い情報開発本部情報開発部長に就任
1998年（45歳）	情報開発本部長に就任。 NINTENDO64向けゲーム開発の陣頭指揮を執る
2000年6月（47歳）	中途入社してきた岩田と同時に、取締役に就任。 情報開発本部長も兼務
2002年5月（49歳）	代表取締役専務に就任。 ゲームキューブ向けゲーム開発の陣頭指揮を執る

人間を必要としていた。

かくして、1977年、24歳の時、宮本は任天堂に入社する。デザイナーとしての入社は、宮本が初。と言っても、最初はポスターやパッケージのデザインなど小さな仕事ばかり。だが、入社4年目に転機が訪れた。伝説の始まりだ。

もともと宮本はビデオゲームを作りたくて任天堂に入ったわけではないし、岩田のようにプログラミングができるわけでもない。そんな宮本がビデオゲームのクリエイターとして頭角を現したのは、1981年に米国向けに輸出された業務用ゲーム機だった。

当時は、タイトーが発売した《ス

2008年7月、米ロサンゼルスのコダックシアターで行われたE3で、バーチャルギターを実演しながらWiiミュージックを紹介する宮本。マリオの生みの親として「ミヤモト」の名前は海外にも広く知れ渡っている（写真提供：AFP＝時事）

ペースインベーダー》を契機にゲームセンターブームが日本中を席巻していた頃。任天堂もブームに乗じようと、業務用ゲーム機の開発を本格化させていた。同時に、１９８０年に発売した携帯型ゲーム機ゲーム＆ウオッチもヒットしつつあり、任天堂は経営資源を２つのゲーム機に集中投下していた。

１９８０年には米国法人のNintendo of America Inc.（ＮＯＡ）を設立し、海外展開も図る。ところが、米国に輸出した《レーダースコープ》という業務用ゲーム機で大量の在庫が生じてしまった。

「新しいゲームを載せた基盤だけを送ってくれないか」。そう、米国法人から依頼を受けた本社が考えたのは、ゲーム＆ウオッチ向けに開発していたゲームを、業務用に転用することだった。

国内ではゲーム＆ウオッチのブームに火がつきつつあり、米国の在庫の尻ぬぐいに新規の開発チームをあてている余裕はない。救済のネタを探した結果、浮上したのが、ゲーム＆ウオッチの新作として開発中だった《ポパイ》である。

米国生まれのポパイならば知名度もある。米国でだぶついている在庫の基盤をポパイと入れ替えれば、いくらかはさばけるだろう。そんな軽い気持ちのプロジェクトに、宮本は、たまたま上司から誘われていた。

だが、このプロジェクトは、版権の問題でポパイとその仲間のキャラクターが使用できなくなってしまい、頓挫する。ただし、ゲームの舞台やルールなど、骨格は流用できる。であれば、代わりとなるキャラクターを考えればいい。そんなお鉢が、絵心のある宮本に回ってきた。

宮本は、ポパイの代わりに「マリオ」を、オリーブの代わりに「ピーチ姫」を、ブルートの代わりに「ドンキーコング」の絵を描き、「ドンキーコングが樽を投げる」「マリオがジャンプして避ける」という新たなアイデアも提案、それが採用された。宮本の記念すべきゲームクリエイターとしてのデビュー作である。

ちなみに宮本は、もともと決まっていた工事現場という舞台設定から作業服のキャラクターを想起し、粗いドット絵でもわかりやすいという理由でヒゲをつけたキャラクターを描いて、単に「おっさん」と呼んでいた。米国法人の社員に見せたところ、マリオという同僚に似ていると話題になり、そう命名された経緯がある。

この業務用ゲーム機、ドンキーコングは、米国法人の在庫分どころか、それを上回る注文が相次ぎ、最終的に6万台を超える大ヒットとなる。ゲームをデザインする楽しみを知ってしまった宮本。ここから破竹の勢いで人気ソフトを生み出し、「世界のミヤモト」への階段を駆け上がることになる。

「肩越しの視線」という武器

2007年3月、米サンフランシスコ。2年前に岩田が講演をしたゲームディベロッパーズカンファレンスで、今度は「世界の宮本」が基調講演を行った。話は、ゲーム人口拡大戦略の成否を判断する宮本流の指標〝奥様メーター〟から始まる。曰く……。

宮本の妻は昔からゲームにまったく関心がない。だがある日妻は、娘が《ゼルダの伝説　時のオカリナ》で遊んでいるのを珍しく眺めていた。「もしかしたらゲーム機に触ってくれるかもしれない」と思った宮本は、動物たちが暮らす小さな村で生活を楽しむだけのゲーム《どうぶつの森》を、「敵が出ないよ」と言って差し出す。すると、妻はコントローラーを握って遊んでくれた。

DSが出ると、犬と触れ合うゲーム、ニンテンドッグスを楽しむようになり、妻のゲームへの見方が変わった。Wiiに至っては、教えてもいないのに自ら率先して触れ、家族や親戚、近所の人の似顔絵を作っては人に見せて、喜んでいる。

「妻がWiiで似顔絵を作る楽しさに目覚めたのは、ゲームデザイナーとしての1歩を踏み出したということ。彼女がユニークなゲームを作ってくれたら、僕は引退できる」

宮本がそう言うと、会場は笑いの渦に包まれた。

幼き頃の遊び場にヒントを得た横スクロール型のスーパーマリオシリーズは、そのほとんどが宮本によるアイデア。シリーズ化され、世界中で人気を誇る《ゼルダの伝説》も同じだ。キャラクターから舞台、ストーリー、操作方法のデザインや設定に関して、微に入り細を穿つ宮本。次々と売れるゲームを編み出す能力は、役員となった今も廃れることはない。

ゲームの基本文法を定めたマリオやゼルダといった人気シリーズだけではなく、どうぶつの森やニンテンドッグスといった、ゲームの基本文法を逸脱したヒット商品も同時に生み続けている。そんな宮本は、特別なことをしているわけではない。人生を通して遊びや楽しみを追求し、いつも日常生活のどこかでヒントやアイデアの種を見つけては、ゲームに反映しているだけだ。ただし、凡人と違うところがある。遊びや楽しいことへの、飽くなき探求心と鋭い嗅覚である。

既にゲームソフトが売れなくなっていた2000年頃のこと。売れないのは、ハードの代替わりによる一時的な現象という見方とともに、携帯電話に触れる時間が増えたことが原因という見方も根強く喧伝されていた。だが宮本には、どうもそうは思えなかった。

電車の中でメールを打ちまくっている子たちを見ていると、明らかに楽しそうに見える。まるで、ゲームをしているようにテンキーを連打している様を見て、猛烈な嫉妬を覚えた。

だから会社でソフトを作っている連中に、「俺たちの作っているモノより、メールを打つ方が楽しいんだよ。お題の文章を送って、全国で誰が一番速く打つかを競争したら、日本で一番面白いゲームができるかもしれないな」と、皮肉交じりに言ったこともある。

「やっぱりそれは、携帯電話が彼ら彼女らの生活に溶け込んでいることに対してのジェラシーですよね。だからゲームも生活に溶け込まなくてはと思った」

そう語る宮本は、何気ないコミュニケーションを遊びに変える、どうぶつの森を作った。まだ岩田が社長になる前で、ゲーム人口拡大という明確な目標もない頃。「僕らの作っているアクションゲームは廃れているんだ」と気づき、「触っているだけで満足できるゲームを作ろうよ」と動いた。

敵と戦うこともなく、ストーリーに沿ったゴールや目的もなく、ひたすらのんびりと過ごす、どうぶつの森は、口コミで特に10～20代の女性に広がり、一時は店頭で品切れになるほどのヒットとなる。

DS版にリメイクされた《おいでよ　どうぶつの森》では、自分の村に来てもらったり、友人の村に遊びに行ったりと、通信機能を介した他人とのコミュニケーションも気軽に楽しめるようにした。国内では、2009年2月時点で500万本を超える大ヒットを記録している。

こうした宮本の遊びを追求する観察眼は、Wiiの成功にも多大なる貢献をしている。

Ｗｉｉリモコンの開発が一段落し、ハードのチームが本体機能の開発に着手した２００５年の中頃、宮本は〝部屋〟に戻り、Ｗｉｉを普及させるためのソフト開発に本腰を入れ始めた。宮本がトップを務める情報開発本部は、宮本が育ててきたソフト開発のプロ集団。社内では「情開」と呼ばれるが、宮本ら情報開発本部の人間は「部屋」と呼んでいる。

部屋ではＷｉｉ発売と同時に用意しなければならないソフトの開発が既に始まっていたが、開発のラインが幾つも乱立した状態で、まとまりがなかった。そこで宮本は無造作に1枚の紙に図を描く。Ｗｉｉの初期を支える戦略ソフトのグランドデザイン。本体機能とそれぞれのソフトがどうつながるかも含めて、初期の構想のすべてが詰まっていた。

家族みんなでＷｉｉの新しい操作感覚を楽しんでもらうソフト群「パーティーパック」やスポーツゲームを集めた「スポーツパック」……。

それらはＷｉｉの発売と同時に《はじめてのＷｉｉ》、Ｗｉｉスポーツとして商品化された。そして、メモには「ヘルスパック」というキーワードも。後の、Ｗｉｉフィットである。

自宅の風呂場にある体重計が、気づきを与えてくれた。

宮本は40歳を過ぎてからダイエットのために水泳教室に通い始めた。座り仕事が多かったせいか、腰痛にも悩まされており、それも一因だった。水泳を続けていると体重は自然と落ちていく。その時、初めて「健康になるのは面白い」と感じた。

宮本はどちらかというと不良な自分が好きなタイプ。品行方正は自分に似合わないと思っていたが、これを機にパチンコもタバコも止め、健康とダイエットに邁進する。

ところが、しばらくすると体重がもとに戻り始めてしまった。そこで、毎日、体重計に乗り、細かな体重の増減を気にするようになり、風呂場に紙を置いて、グラフをつけ始めた。それは、風呂に入る前の儀式のように習慣となり、「毎日体重を量るのは面白い」と気づく。まだＤＳが発売される前の２００４年頃の話だ。

グラフをつけ続けて1年ほど経ち、宮本はついに「体重を量る」「健康になる」ことをコンセプトとしたゲームのプロジェクトを立ち上げる。

プロジェクトは、Ｗｉｉ向け戦略ソフトのヘルスパック構想へと昇華し、ヨガやバランスゲームなどのトレーニングをこなしながら毎日の体重の変化を記録していくソフトにまとまる。体重と体の重心を検知する体重計のような「バランスＷｉｉボード」もセットで付いてくる、「史上初の体重を量るゲーム」の完成だ。

国内で２００７年12月に、海外では２００８年4～5月に発売されたＷｉｉフィットは、ＤＳの爆発力を生んだ脳トレのように、Ｗｉｉ本体の販売を押し上げる大きな原動力となっている。

２００８年12月末時点でのＷｉｉフィットの世界累計販売台数は約１４００万台。ゲーム雑誌大手のエンターブレインなどの調べによると、２００８年7～9月の期間、Ｗｉｉフィットは

Wiiフィット販売推移　日米欧比較

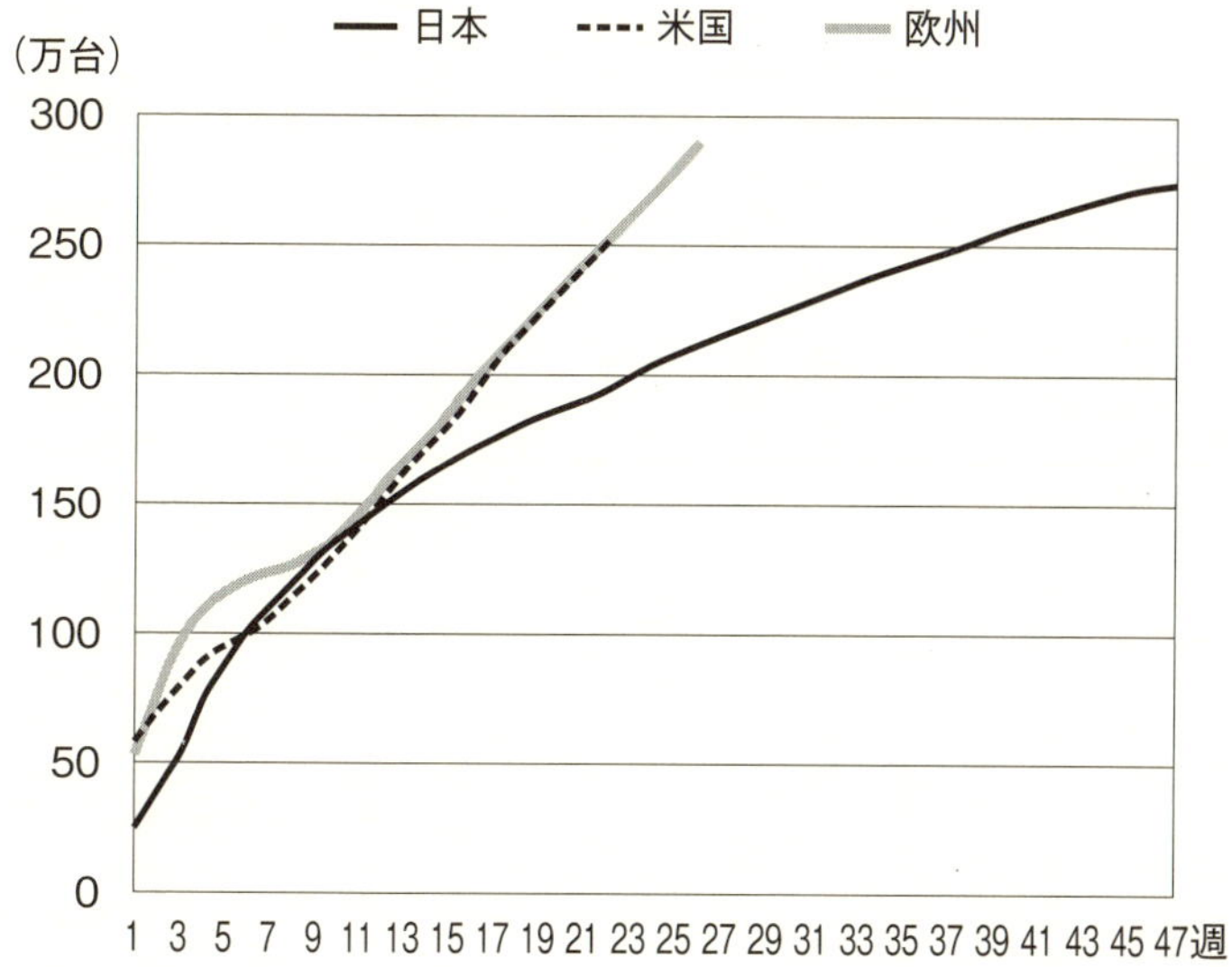

（出所）任天堂

「日米英で2番目に売れたゲームソフト」となった。宮本の趣味が世界で受け入れられたのである。

米ニューヨークの中心、ロックフェラーセンターにある任天堂の直営店。Ｗｉｉフィット発売から半年が過ぎた２００８年10月、金融危機の最中であっても、開店前に数十人の行列ができ、お客が開店と同時に駆け足でレジへと向かう光景が、毎日のように繰り広げられていた。

ほぼ全員がＷｉｉフィットを狙い、３～４人に１人はＷｉｉ本体も同時に購入していくのだという。任天堂は２００８年に入ってからＷｉｉ本体の増産を迫られ、生産台数を前年比33％増の月産２４０万台と強化した。

宮本の飽くなき遊びへの探求心が成功を呼ぶという好事例だが、宮本の強さの秘訣は、それだけにとどまらない。岩田は宮本の強さの秘訣を、「肩越しの視線」と表現する。

ゲームを作り込んでいる最中の宮本は、しばしば、社内の総務関連の部署などからゲームをやらない人を連れてきて、コントローラーを握らせる。宮本は、そのプレイの動きを何も言わず後ろから見つめ、「あそこが難しいなぁ」とか「あの仕掛けに気づいてもらえなかった。わかりやすく変える必要があるな」などと、改善点を次々と浮き彫りにするのだ。宮本は言う。

「いつも、これからゲームに引き込もう、という人を相手に作っているので、今、ゲームに熱中している人の意見は当てにならないところがある」

「世界の宮本」は、任天堂がゲーム人口拡大戦略を始めるずっと前から、ゲームに関係のない人の声を拾っていた。どれだけ世界中で評価されようが、実績を作ろうが、決して独りよがりにはならず、「普通の人」がわからないのは自分が間違っているからだと、修正をしてきた。

その武器が、肩越しの視線なのだ。

生活の中に新しい遊びや楽しみを見出す、遊びへの探求心と鋭い嗅覚が、非凡なアイデアを生む。そして、見つけた遊びの種を、万人に理解してもらうために、愚直に遊びを磨き込む。

その過程は、実に禁欲的なものである。

「ちゃぶ台返し」の精神

Ｗｉｉの発売を半年後に控えた２００６年半ば、任天堂随一の開発チームに衝撃が走った。

１９８６年に第1作が登場して以来、２００４年までにシリーズ累計約４５００万本のセールスを世界で記録したアクション・ロールプレイングゲーム（ＲＰＧ）、ゼルダの伝説。任天堂の情報開発本部は、その最新作《ゼルダの伝説　トワイライトプリンセス》の完成に向けて、最終の詰めを急ピッチで進めていた。

既に「年末のＷｉｉ発売と同時に、ゼルダも発売する」と宣言しており、いやが上にも世界中からの期待が高まっている。そもそも２００５年末の発売予定を1年遅らせた経緯もあり、再延期は許されない。外国語版の翻訳作業も始まっていた。

そんなせっぱ詰まった時に限って、いつも宮本が開発の現場にやって来る。そして、こう恐怖の必殺技を繰り広げた。

「最初の村だけど、１日じゃ短いな。３日にしよう」

主人公のリンクが壮大な冒険を始めるにあたり、最初に滞在する村がある。物語のプロローグや基本操作などを仕込むための村だ。開発チームは滞在期間を1日と設定して仕様を固め、だいぶ昔にプログラミングを終えていた。それを変えろと宮本は言う。

単に滞在時間を延ばすという話ではない。ゼルダの世界でＷｉｉの新しい操作方法に馴染んでもらうためには、もうひと工夫もふた工夫も凝らす必要があると言う。アイテムは増えるし、キャラクターの動きも台詞も全部、変わる。当然、プログラムも村のマップデータも大きく変更せざるを得ない。

開発も終盤に差し掛かり、最後の作り込みや、全体の細かな調整に明け暮れる日々。そんな時の宮本の指示は、開発チームにとって「悪夢」に近い。まさに、ちゃぶ台をひっくり返されたような気分になる。それでも開発チームは「最初の村は全部変わります。翻訳はストップです！」と急いで海外法人に連絡し、変更作業に着手した。

宮本が開発現場の第一線を離れ、プロジェクト全体を統括するプロデューサーという立場に徹するようになってから、宮本の「ちゃぶ台返し」は任天堂の社内にすっかりと定着してしまった。海外法人でも「Return tea table」として広く知られているという。

仕上げの期限が迫る中でのちゃぶ台返しは、現場からしてみればたまったものじゃない。ただ、開発スタッフのあいだでは、恐れられている半面、どこか有り難がられているところもある。

宮本は決してひっくり返したまま放置せず、「こうするともっと良くなるよ」と、ちゃんとお碗やお箸を並べ替えて、指針を与えてくれるからだ。その指針は至極まっとうで、最終的にスタッフは「感謝します」となる。

ゼルダ最新作で宮本が提示した最初の村の「3日プラン」も、そうだった。

任天堂のホームページで公開されている開発ストーリーの中で、スタッフの1人は「変えたことによって、初めて体験するWiiリモコンの扱いに馴染みやすくなっただけでなく、ストーリーの面からもゼルダの世界にグッと入りやすくなった。だから結果的には変えて本当によかったと思います」と述懐している。

ただし、ゼルダ最新作の場合は、まだマシな方。結果として発売予定を何とか守ることができたからだ。宮本は時に「発売中止」という非情なまでの鉄槌を下すことがある。

その洗礼を、かつて岩田も浴びた。

1991年、負債が膨らみハル研究所が経営危機に陥ろうとしている傍らで、取締役だった岩田はあるゲームソフトに賭けていた。タイトルは《ティンクルポポ》。ハル研究所が抱える新進気鋭のデザイナー、桜井政博による企画で、岩田はこの企画を、任天堂ブランドのセカンドパーティーとして制作するのではなく、自社ブランドで発売することに決めていた。業績の悪化を食い止める起死回生の作品としたかったからだ。しかし……。

既に「1991年1月下旬発売」と公にアナウンスし、ほぼ完成形となった前年末、宮本の目に触れたティンクルポポは、宮本の手によって発売中止に追い込まれる。既に2万6000本もの予約注文を受けていたのにもかかわらず、だ。

もちろん、宮本に悪意があったわけではない。作品を見た宮本は強烈に「もったいない」と思い、「手を加えれば、もっといいモノになる」と判断しただけだ。発売元をハル研究所ではなく任天堂とした方が売れるという判断もあった。

キャラクターをいじり、「ポポポ」という主人公を「カービィ」とし、1年3カ月後の1992年4月、ティンクルポポは星のカービィに生まれ変わって世に出る。結果はハル研究所の創業以来、最大のヒット。経営再建に大きく寄与する起死回生の一発となる。

予約受注をいったんゼロにし、当初の予定から1年以上も延期しての出直し発売。結果は出したが、結果のためにそうしたのではない。宮本は、納得ができないものを商品として世に出すことが、ただ耐えられないのである。

だから宮本は、何年かかろうと納得ができる状態になるまで作品を磨き込む。

例えば、Wiiの魅力を増している似顔絵チャンネルは、実に20年越しの蓄積が実った結果だ。膨大なお蔵入りは宮本にとって、捨てられたものではなく、いつか日の目を見るその時まで大切に蓄積されているネタの宝庫なのだ。

似顔絵チャンネルは、顔の輪郭や眉毛、目、鼻、口、髪の毛といったパーツを組み合わせて、似顔絵を作成する機能。Ｗｉｉチャンネルの1つとしてＷｉｉ本体に備わっている。ここで作った似顔絵は、自分や家族の分身「Ｍｉｉ」として登録し、ＷｉｉスポーツやＷｉｉフィットなど人気ソフトの中で動くキャラクターとして登場させることができる。

岩田はこの似顔絵チャンネルを、「20年近く考え続けた宮本の執念が実った結果」だと事あるごとに話している。

「自分がゲームの中に登場したら面白い」

宮本がそう思いついたのは、ファミコンの周辺機器《ファミリーコンピュータディスクシステム》が発売された１９８６年のこと。しかし、ディスクシステム用の似顔絵作成ソフトを試作するも、「作った似顔絵で何をするのか」がわからず、このプロジェクトは中止となる。

しばらく似顔絵ソフトの構想は埋没していたが、２０００年に再度、浮上した。似顔絵機能で自分の好きなタレントを作り、そのタレントを動かしてムービーを作成する《タレントスタジオ》というソフトを発売したのだ。ただし、ロクヨンの周辺器機《ロクヨンＤＤ》向けのソフトで、実験的な色合いも濃い。ロクヨンＤＤは注目されることなく、約1年で消えた。

だが、宮本は懲りない。今度は２００２年のＥ３で、ゲームキューブ向けに《ステージデビュー》という似顔絵ソフトを作っていることを明かす。ゲームボーイアドバンス用のカメラで取り込んだ人の顔をゲームキューブに送信して遊ぶという構想。２００４年に入ると《人間コピーまねビト》という名前に変えてソフト制作を本格化させ、商標まで取得する。

だが結局、このソフトも、取り込んだキャラクターで何をするのか、という目的が定まらず、お蔵入りとなる。それでも諦め切れない宮本は、Ｗｉｉの初期に発売する戦略ソフト群の絵を描いた時、リベンジを画策するのだ。

Ｗｉｉスポーツなどのゲーム内に登場するキャラクターそのものを、似顔絵にしてしまうというプロジェクトが、Ｗｉｉの発売前に始まった。宮本率いる情報開発本部では「こけし」と呼んでいたプロジェクトだ。

この宮本の執念、こけしプロジェクトとはまったく別のところで、偶然にも、ＤＳ向けの似顔絵機能の開発も行われていた。ＤＳの話を知った岩田は、宮本の執念を知っているだけに、すかさず宮本に話をすると、俄然、宮本も食いつく。

「勉強にもなるから、うちに来て一緒にやらない？　うちのすごく優秀なディレクターを付けて、最高のチームを作ってやるから」

宮本はそう言って、ＤＳの似顔絵チームを、こけしプロジェクトに合流させてしまう。かくして、20年前の思いは、似顔絵チャンネルとＭｉｉに結実したのである。

何回も何回もちゃぶ台をひっくり返し、最終的によそのちゃぶ台に並んでいたお椀を持ってきて、完成させてしまう宮本の妙を、岩田はこう評する。

「宮本さんを見ていると私はいつも感心するんです。これは単品で食べると美味くないけれど、これと合わせて食ったら美味いぞみたいなことを突然言い出して、全然関係ないプロジェクト同士を足したりするんですよ。一見、無駄になりそうなものを別の形でぱっと料理してね」

Ｗｉｉフィットの開発でも、そんなことがあった。

情報開発本部で、Ｗｉｉフィットの開発が終盤に差し掛かろうとした頃、宮本は「有酸素運動」メニューの中身に頭を悩ませていた。

音楽に合わせて踏み台昇降をする《踏み台リズム》と、フラフープを回し続ける《フープダンス》の２つは決まったが、それでは足りない。水泳を続け、ジムにも通っていた宮本には、汗をかく実感が足りなかった。

そんな時、宮本は、Ｗｉｉスポーツのチームの実験をたまたま見かける。

チームは続編に向けて、新しいスポーツゲームの模索をしているところで、その時は、ジョギングのサンプルソフトを試しているところだった。Ｗｉｉリモコンには加速度センサーが入っている。リモコンをポケットなどに入れておけば、ジョギング中の揺れで、歩数やペースを検知できるという実験。「これは使える」と踏んだ宮本は、すかさず、声を掛ける。

「そのアイデア、まだ《Ｗｉｉスポーツ２》を出すかわからないから、Ｗｉｉフィットにちょうだい。ついでにプログラマーも一緒に貸してよ」

2006年12月、Wiiのコントローラーを手にゲームをする宮本（左）と岩田。お客さんに満足してもらうゲームを作るためなら、「ちゃぶ台返し」や「ルールの逸脱」も厭わないのが宮本流（写真提供：EPA＝時事）

そもそも、「バランスWiiボードをWiiフィットのすべてのゲームに使う」というルールを最初に決めたのは宮本自身。でも宮本は、自ら定めたルールを変え、バランスWiiボードを使わずリモコンをポケットに入れるだけのジョギングを、Wiiフィットのメニューに取り入れた。

面白いゲーム、お客さんに満足してもらうゲームを作るためなら、柔軟に、臨機応変に対処するのが宮本流。ちゃぶ台返しも、ルールの逸脱も、他のプロジェクトチームからネタと人を引っ張るという〝裏技〟も何でもあり。

そんな「宮本イズム」とでも呼ぶべき文化や空気が、情報開発本部のスタッフに、すっかり染みついてしまっている。だからお蔵入りとなったプロジェクトのスタッフも、やる気を削がれることなく次の仕事に邁進できる。

岩田は2008年10月の経営方針説明会で、宮本の執念のエピソードを思い出したように披露し、こう結んだ。

「1つのテーマについて、長くしつこく考え続けることが大切で、考え続けていることの蓄積の量が、ヒットを生んでいる部分というのもあるんだなと、私は思っています」

試作を重ね、時に捨て、また重ねる。ちゃぶ台返しとは、宮本の愚直に丁寧にソフトを作っていく姿勢を端的に映したもの。その精神は、結果として「ダメソフト」を排除し、世に質の高いソフトを送り続ける体制を築いたのである。

部門の壁を壊す「宮本イズム」

社長となった岩田は2004年、伝統のある開発第一部と第二部、歴史の浅い企画開発部の3つを統合するなど、開発部門の大規模な組織改革を断行した。

大雑把に言えば、ハード開発部門を、据え置き型の「総合開発本部」と携帯型の「開発技術本部」の2つに集約し、ソフト開発部門を、内製の「情報開発本部」と主に外部の協力会社と組む「企画開発本部」の2つに集約した。

その上で岩田は、部門の壁を越えたコラボレーションを一気に増やすべく、動き始める。狙いは「宮本イズム」の拡散だ。

もともと任天堂という会社はセクショナリズムが強く、それが個性や独創を引き出しているところがあった。前社長の山内が、開発部署を属人的に設ける方針を採っていたからだ。

1979年、山内は開発部を2つに分けた。「ウルトラハンド」や「光線銃」を生んだ横井軍平率いる開発第一部と、シャープから転職してきた上村雅之率いる開発第二部に分かれ、両部はライバルの関係となった。

開発第一部は主にゲーム&ウオッチやゲームボーイといった携帯型ゲーム機を、開発第二部は主にファミコンや《スーパーファミコン》といった据え置き型ゲーム機を開発したことで知られるが、両部ともに、ソフト開発も手掛けている。

そこへ、1984年、山内は宮本を社長室に呼び、ソフト開発を専門とする情報開発部を与えた。宮本はいきなりスーパーマリオブラザーズという大ヒットを飛ばし、以降、宮本部隊は独自の文化を醸成しながら、任天堂社内でソフトを手掛ける最大派閥へと成長する。

1989年にゲームボーイを発売すると、開発第一部は主に携帯型ゲーム機向けのソフトを作り、情報開発部（1996年に情報開発本部へ昇格）は主に据え置き型ゲーム機向けのソフトを担当したが、その逆のプロジェクトも存在した。

新しいハードの開発案件ごとに開発部門が増え、同じソフトでも携帯型と据え置き型とでは、別々の進化を遂げてきた任天堂。特に、宮本の情報開発本部とそれ以外のソフト開発部門との壁は厚く、シナジーはあまり生まれてこなかった。

そこで岩田は、まず新設した企画開発本部を根城に、情報開発本部との融合を図っていく。

2005年5月に発売された脳トレは、岩田がアイデアを持ち込み、自らが中心となって完成させたDS向けソフトの大ヒット作。そのプロジェクトが置かれたのは、企画開発本部だ。

任天堂の開発部門の歴史

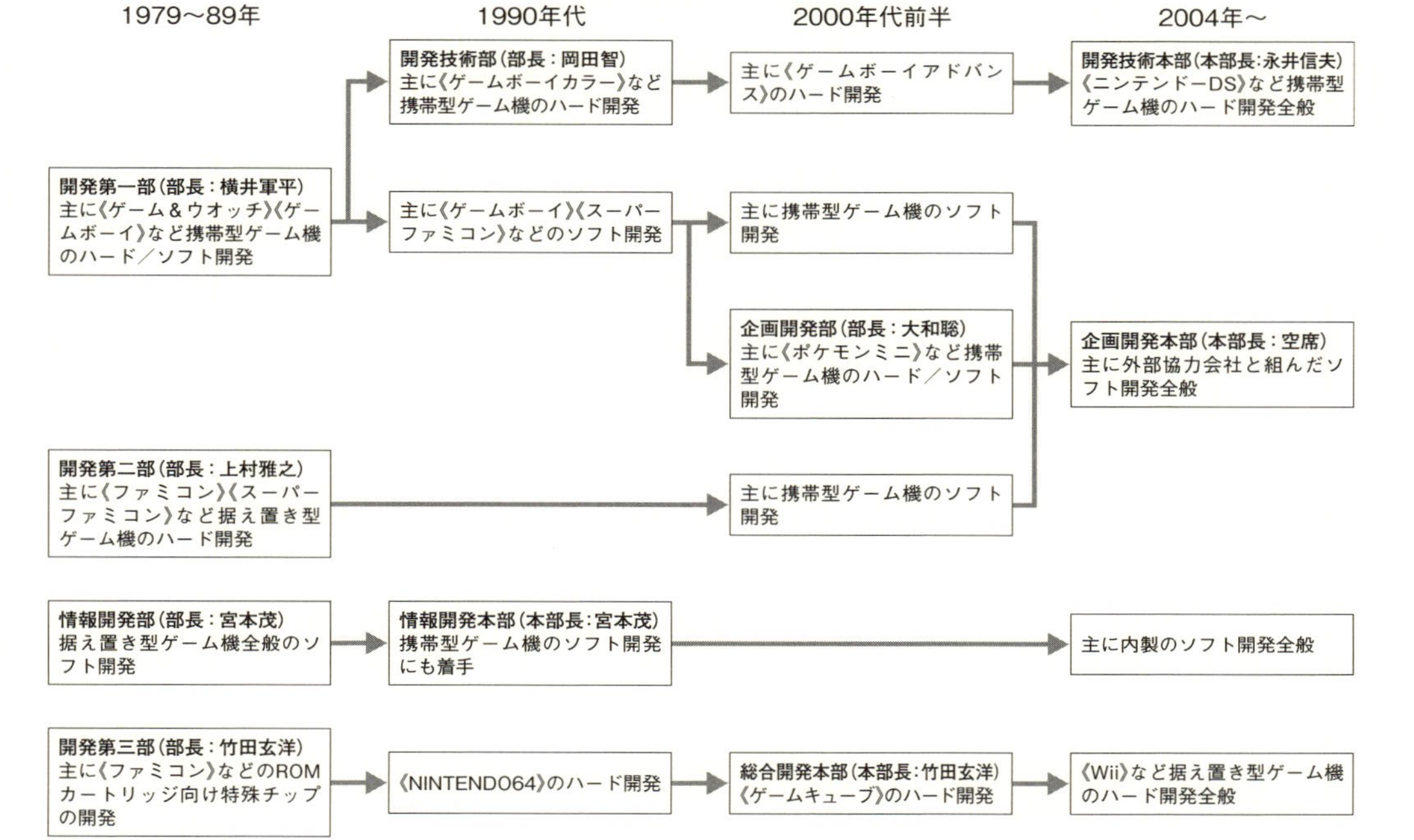
1979～89年
1990年代
2000年代前半
2004年～
開発第一部(部長：横井軍平)
主に《ゲーム＆ウオッチ》《ゲームボーイ》など携帯型ゲーム機のハード／ソフト開発
開発技術部(部長：岡田智)
主に《ゲームボーイカラー》など携帯型ゲーム機のハード開発
主に《ゲームボーイアドバンス》のハード開発
開発技術本部(本部長:永井信夫)
《ニンテンドーDS》など携帯型ゲーム機のハード開発全般
主に《ゲームボーイ》《スーパーファミコン》などのソフト開発
主に携帯型ゲーム機のソフト開発
企画開発部(部長：大和聡)
主に《ポケモンミニ》など携帯型ゲーム機のハード／ソフト開発
企画開発本部(本部長：空席)
主に外部協力会社と組んだソフト開発全般
開発第二部(部長：上村雅之)
主に《ファミコン》《スーパーファミコン》など据え置き型ゲーム機のハード開発
主に携帯型ゲーム機のソフト開発
情報開発部(部長：宮本茂)
据え置き型ゲーム機全般のソフト開発
情報開発本部(本部長:宮本茂)
携帯型ゲーム機のソフト開発にも着手
主に内製のソフト開発全般
開発第三部(部長：竹田玄洋)
主に《ファミコン》などのROMカートリッジ向け特殊チップの開発
《NINTENDO64》のハード開発
総合開発本部(本部長:竹田玄洋)
《ゲームキューブ》のハード開発
《Wii》など据え置き型ゲーム機のハード開発全般

企画開発本部の制作作業はセカンドパーティーと呼ばれる外部の協力会社とともに行われることが多い。また、ソフト開発の負担が比較的軽い、携帯型ゲーム機向けのタイトルが多いのも特徴である。

もともとゲームソフトの開発者だった岩田は脳トレ以降、この企画開発本部を拠点に、社長としてではなく、ゲームクリエイターとして波に乗った。

手書き入力で英和、和英、国語辞典を引く辞書ソフト《DS楽引辞典》、脳トレの続編《もっと脳を鍛える大人のDSトレーニング》(もっと脳トレ)、英語の学習ソフト《英語が苦手な大人のDSトレーニング　えいご漬け》、常識をクイズ形式で学ぶ《いまさら人には聞けない　大人の常識力トレーニングDS》……。

新手のソフトのプロジェクトを自ら立ち上げ、プロデューサーという立場で、立て続けにヒットを飛ばす岩田。だがこれは、尊敬する宮本の後ろ盾があったからこその成功だった。

「宮本さんのところから、うちに出してもらったプログラマーが脳トレのディレクターをやったんですけど、彼のセンスがすごく良くて、一番初めに作った計算問題の試作品から、(操作の)気持ち良さがスパーンとできていた。そういう巡り合わせで、幸運に恵まれたこともありました」

岩田のそう褒めるディレクターとは、宮本のもとでゲーム作りのイロハを叩き込まれた河本浩一である。脳トレのプロジェクトが始まる前、東北大学の川島教授が出版したドリル集のヒットを見た岩田は、まず宮本に「これって絶対に面白いし、DSに合っていると思うんですよね」と相談している。宮本は「ぜひ、やった方がいいよ」と岩田の背中を押し、河本を企画開発本部に出した。

実は、岩田が脳トレをやりたいと言い出す前から、宮本も同じようなアイデアを情報開発本部の内部で仕込んでいた。DSとWii向けに発売した《やわらかあたま塾》がそれである。

「僕は脳のトレーニングも辞書も、ずっとテーマにしていた。でも、やっぱりどうしても『マリオ』や『ゼルダ』に追われ、形にできていなくて。だから岩田に先を越されて、羨ましくてね」

宮本はそう言いながらも、岩田のアイデアを応援し、企画開発本部のプロジェクトを後方支援したのだ。一方で岩田も、「棲み分けできますよ」と宮本のプロジェクトを潰すようなことはしなかった。岩田がやわらかあたま塾のプロデューサーも務めることで、両立させた。

結果、やわらかあたま塾は脳トレの1カ月後に発売され、脳トレには及ばないものの、国内で160万本以上を売るミリオンセラーとなる。やわらかあたま塾と脳トレ。双方の成功は岩田が全社の司令塔として、宮本イズムをうまく生かしながら調整した賜物なのだ。

部門の枠を超えたソフト開発の協調は、全社規模へと発展している。

2007年8月に発売された《大人のDS顔トレーニング》(顔トレ)は、営業や管理部門など非開発系の人間も含めて結成された部門横断チームの手による企画だ。

岩田は２００５年から、様々な部門から横断的にメンバーを集め、新しいソフトを作る「ユーザー層拡大プロジェクト」を始めた。２００６年に招集した第２次のプロジェクトからは、普段、ソフト開発とは縁のない社員も参加させ、アイデアから商品化まで、すべてをメンバーに任せた。

顔トレは、顔の筋肉を鍛えて豊かな表情を作る「フェイスニング」を、誰でも簡単に毎日続けることができるようにするソフト。日頃、ネットワーク管理などの業務に携わっている女性のメンバーが、実家のお風呂場で顔のマッサージをしていた時に思いついたアイデアだ。

チームはそのアイデアをベースに、企画を揉んだ。商品化のカギとなったのが、顔のパーツを識別する「フェイス・センシング・エンジン」という技術。この技術を利用することで、同梱のカメラで取り込んだユーザーの顔の上に、矢印などのアニメーションをかぶせることが可能となった。

「器用に技術的にサポートできて、それらしくパッケージとしてまとめ上げることができる、そういう人をちゃんと出しました」

宮本がそう話すように、画像認識技術の採用は情報開発本部のメンバーによる提案だ。まだフェイスニングのアイデアが出る前、このメンバーがたまたま技術関連の展示会で件の技術を見かけ、説明員に質問をしていたことが、奏功した。

もちろん、岩田による部門間のコラボレーションは、ハードの開発部門にまで広がっている。

前述の通り、ＤＳやＷｉｉの開発には宮本が深く入り込んでいるし、本体機能などソフトが関わる開発には、情報開発本部の現役、あるいは出身者が多数、参加している。

例えば、情報開発本部から企画開発本部に転籍し、脳トレと、もっと脳トレを作った河本は、Ｗｉｉチャンネルの中核を成す「写真チャンネル」「お天気チャンネル」「ニュースチャンネル」のディレクターを担当した。

もともと任天堂には、１つの本社の中にハードの開発者とソフトの開発者が同居しており、連携をしようと思えばいつでもできた。だが実際には、岩田が舵を取り、ＤＳの開発に着手してから両者の連携や協調は始まったのだと、宮本は言う。

「ソフトチームとハードチームの連携は、ＤＳをやり始めてから特に強くなりましたね。もともとそれが強みだとは思っていたんですけど、やっぱり実際に現場がものすごいレスポンスで動くようになったのはＤＳから。ハードにサンプルプログラムを付けて評価していくことをやり始めて、これが非常に説得力があったり、製品のビジョンが早く見られたりと、いい効果が生まれた。同じことをＷｉｉでもやろうということで、わりと早い時期から、うちのプログラマーがハードの開発に参加していました」

同じハードでも、据え置き型と携帯型とでは開発部門が歴然と分かれており、やはり両者が連携することはあまりなかったが、それも改善したと岩田は話す。

「やっぱり携帯型と据え置き型の開発は、お互いに張り合ったりして競合になってくるんです。

だけど、もうここ数年は、自分の持ち場の設計だけをするんじゃなくて、携帯型も据え置き型も一体になって任天堂のグランドデザインの中で作っていくという体制に、どんどんなっていますね」

グローバルに根を張る競合と対峙しながら、ＤＳとＷｉｉというハードを大ヒットさせ、それぞれのソフトでも、ハードの売り上げを牽引するようなミリオンセラーを連発した任天堂。その陰には、ゲームへの思いやアイデアだけではなく、組織改革という地味な作業もあった。

司令塔として、それらすべての舵取りをしてきた岩田。彼の卓越したマネジメントを抜きに、任天堂の成功は語れない。

外様社長が励む個人面談

あなたの会社の社長が代わることを想像して欲しい。新しい社長は全社員の前で挨拶くらいはするだろう。だが、あなたが役員でない限り、個人的に話をする機会が訪れるのは、いつになるかわからない。数千人以上の従業員を抱えるグローバル企業であれば、なおのことだ。

2002年当時、売上高5500億円、純利益1000億円、従業員数3000人以上の会社の社長となった岩田はまず、社員と膝をつき合わせた。すべての部長、40人と個人面談を行い、それから、自分が担当する開発部門の社員、150人の1人ひとりとも、話をした。

任天堂の長い歴史において、岩田は初の創業家以外の社長。しかも、新卒で任天堂に入社した生え抜きではなく、2000年に入ってきたばかり。外様中の外様社長である。

いくら前社長の山内に指名されたとは言え、それだけで生え抜きの役員や社員が、素直に社長の言うことを聞くわけがない。そのことは、岩田自身、よくわかっている。

「社長が号令を一発出したら、ある日突然、みんながこれまでとは違う未来を信じて、みんなが同じ方向を向いて走り出すなんて、そんな都合のいい話はない。最初は、社長はあんなことを言うけど大丈夫か、と思う人がたくさんいて当たり前です」

しかし、岩田が２００２年に社長になってから4年ほどで、岩田が掲げるビジョンの共有は、全社の隅々まで行き渡った。いったい何をしたのか。

「任天堂はなぜ、こっちへ向かうのか、何回も何回も繰り返し言いました。その過程で、言っていたことの何かが現実になって、１人腑に落ち、２人腹に落ちという感じで全員に浸透していった。まあ、きっと同じことをしつこく言い続けてきた、ということに尽きるのかもしれません」

そうさらりと言ってのける岩田。しかしその陰には、並みの経営者にはできないであろう、営々と積み上げた努力がある。


山内時代と何が変わったのか。社歴が30年以上になる古参の宮本は、こう証言する。

「任天堂の中というのは、ある意味、トップ１人の独裁で成り立ってきた歴史があって、風通しが悪くなっていた部分もある。それを、岩田が外からの視点で風通しを良くしてくれたことで、社員の経営方針への理解が非常に深まった気がします」

山内時代、社長と直接、話をすることができる人間は、ごく一部に限られていた。宮本曰く、「山内さんの性格がそうだっただけで、別に偉ぶっていたわけではない」ということだが、とにかく限られていた。

訓辞という形で社員が話を聞く機会も、年に1回あるかないか。それが、岩田体制になってからは、社長自らがプレゼンテーションの画面を示しながら、社員全員、あるいは開発陣全員の前で、頻繁に経営の現状や方針を披露するようになった。

説明どころか、岩田はスタッフと直接、会話をする。前職のハル研究所の社長時代から行っている、個人面談を通じて。

42歳で社長となった岩田は若い。加えて昔はゲームソフトのプログラマーで、今もソフト制作の指揮を自ら執る。山内に比べれば、スタッフとの目線は相当に近い。

大学で何を学び、なぜ任天堂に入り、今までどんな仕事をして、何が楽しく何が辛いのか。そんな質問を1人ひとりに投げ掛け、延々と聞いていった。さすがに全社員とは無理だが、せめて自分が直接見ている範囲の社員と、部長全員くらいとは、通じておきたかった。

その上で、ゲーム産業の未来に危機感を感じ、ゲーム人口の拡大に動かねばならないという戦略をぶつける。それでも反発してくる者がいれば、「じゃあ、やってみるか」と、やりたいことをやらせた。「クリエイターはリスクを背負って経験しないと育たない」という持論があるからだ。

社運をかけたDSとWiiというプロジェクトを走らせながら、傍らでは末端のスタッフとまさに膝をつき合わせてコミュニケーションを図る岩田。

2006年からはついに、〝公開面談〟を始めてしまう。

2006年9月、任天堂のホームページに予告なく、風変わりなインタビュー記事が掲載された。タイトルは「社長が訊く　Wiiプロジェクト」。インタビュアーは岩田。対象は開発スタッフである。

「Wiiハード編」から始まった連載は、Wiiの発売日前日、12月1日まで7回続き、いったん幕を閉じた。

すべてを熟読するのに一晩はかかりそうなほど文章の量は多く、インタビュー時間だけでも合計10時間くらいは費やしたであろうボリュームに圧倒される。しかし、これは序章に過ぎない。以降、岩田は、主要なDS向けソフト、Wii向けソフトから周辺機器、そして2008年11月に発売した新機種DSiに至るまで、開発スタッフを会議室に呼んでは、それぞれの開発ストーリーを聞き出す「社長が訊く」シリーズを断続的に続けている。

さらに、2007年5月からは、「社長が訊く　任天堂で働くということ」と題して、主に若手社員を呼び、就職希望者向けに仕事内容を紹介していくシリーズも始めた。

その回数、2008年11月時点で延べ27回（岩田社長がインタビューされる番外編は除く）。登場するスタッフの数は、延べ120人以上に及ぶ。顔ぶれは、宮本や、ゼルダのディレクターを務める青沼英二といった古参に加え、岩田と直接会話をするのは初めてという、入社数年目の若手社員も多い。

シリーズを始めた時、岩田は自身がインタビューする理由を、「社長が訊く」の中でこう述べている。

ひと言で言ってしまうと、今の任天堂の会社の構造なら、できると思ったんです。一応、私は社長としてWiiのプロジェクトについてすべての決裁に関わっていますから、客観的に見て、「こういうふうにWiiはできたんだよ」ということをお客さんに伝える時に、誰かが案内をするとしたら、私がやるのが一番話が早い。

確かに、開発者の思いを直接、お客に届けたい、というのが一義的な理由。しかし、内容を子細に読むと、岩田の真の狙いは、「社長が訊く」の場を利用してスタッフとのコミュニケーションを深めることなのではないかと思わされる。

《わがままファッションガールズモード》というDS向けソフトが2008年10月に発売された時の掲載に、こんな件がある。毎回、恒例となっている自己紹介の後、岩田はこう切り出した。

もともと伊藤さんのメインの仕事は、企画開発本部で作っている様々なソフト群を技術的にサポートすることなんですよね。田島さんはもともと山上さんのグループの人で、服部さんは今でもそうですが、山上さんのグループの人ではない伊藤さんが、今回のように関わったのはちょっと特殊でしたね。

登場するスタッフの関係性を完璧に把握している名インタビュアーぶりにも驚かされるが、消費者というよりは、スタッフの方を向いて面談をしているような生々しさが、そこにはある。「小山さんはキャリア採用で入社してまだ1年ですけど、任天堂に入る前はどんなことをしていて、どうして任天堂で働こうと思ったんですか？」「前にされていた、営業を技術的にフォローする仕事の経験は、今の仕事に生かせていますか？」

採用ページで行っているシリーズでは、本物の面談のような会話が繰り広げられており、会話の量と内容の深さには、スタッフとのコミュニケーションを何よりも大切にする姿勢が滲み出ている。その姿勢を肌で感じられるからこそ、全社員が一丸となって岩田の言うことを信じ、岩田の後をついていくようになったと言える。

そして、もう1つ。岩田は、コミュニケーションを深めるための武器を持っている。これも、山内時代にはなかったことだ。

伝統にサイエンスを

「さて、中間期はこのような結果で好調に推移したとは言え、昨今のように金融危機が同時多発的に世界に広がり、ビジネス環境が劇的に変化していることが、ゲーム市場にどのような影響を与えているのか。それが皆さんにとっての関心事ではないかと思います……」

２００８年10月31日、東京・虎ノ門のホテル。２００８年度中間期決算説明会の場で、岩田はそこに居並ぶアナリストや記者が抱いているであろう懸念の一端を、後の質疑応答で突きつけられる前に自ら持ち出した。

同時に、「米国市場での据え置き型ハードの販売状況」と題されたスライドが巨大なスクリーンに映り、２００８年1月から9月までの期間、Ｗｉｉの販売がＰＳ３とＸｂｏｘ３６０を大きく上回っていることを示すグラフを指して、こう話す。

「自社商品については、毎週の週販のデータが取れています。私は毎週それを注意深く見ているのですが、これまでのところ、減速懸念は感じられません」

立て続けに米国での携帯型、欧州での据え置き型と携帯型のグラフも見せ、たたみかける。

「小売店さんが、いろいろな分野で消費の落ち込みを予想している中で、当社製品に関しては『品物が足らないんだ。もっとくれ』というお話をされることがほとんど、というのが現状です」

岩田のプレゼンテーションには、これでもか、というくらいグラフや表、数字が出てくる。自社で収集したデータに加え、外部の調査機関のデータをふんだんに活用し、実に論理的に、リズミカルに持論を展開する。おそらく、上場企業の決算説明会資料に載るグラフの数は、任天堂が一番だろう。

景気後退懸念への反論をした日は、中間決算説明会なのだから、9月末までの報告をすれば良い。しかし岩田は、「9月までのデータだけでは安心できない。10月になってからマーケットは変化したんだという見方があることもよくわかります」と言って、先週、米国法人から届いたばかりの数字を披露し、ダメ押しをする。

この日、〝懸念の先読みプレゼン〟では、「任天堂ハードでサードパーティーソフト（他社製のソフト）が売れていないのでは?」「国内市場は海外市場の先行指標になるのでは?」「DSやWiiは今年度でピークアウトでは?」と、矢継ぎ早に自ら想定質問を繰り出しては、すべてにデータを多用したロジカルな反論をして見せた。

岩田はもともと物事をロジカルに整理して語るのがうまい。物腰や口調は穏やかで、必ず相手の話をよく聞いてから、自分の意見を話す。それだけで、聴衆が納得してしまいそうなコミュニケーション上手なのだが、ここに、データを加えるから、説得力はさらに増す。

この、岩田の武器と言うべき、データというスパイスは、社内向けのコミュニケーションでも存分に活用されている。


岩田体制になって何が変わったのか。そう聞くと、技術部門を統括する竹田は、「芯は変わっていないけれど、岩田になって、少しサイエンスが加わったんだと僕は見ています」と言う。

これに宮本も呼応する。

「山内は天性の勘とか、経験則とかで予言をする人なんです。けれども、岩田は逆に経験則から否定されている部分でも、科学的に見たらまだ使える要素があるんじゃないかと、1つずつ仮説を立てて裏付けを取ろうとする。裏付けが取れたら、今度は戦略に折り込んでいく。勘から確信として動けるようになって、他の人たちも説得しやすくなるんです」

断っておくが、岩田がマーケティングを好んでいるわけではない。マーケティングは今のニーズを切り取るもの。そのニーズをもとに商品を開発すれば、過去に向けて商品を出すことになり、未来を先取りすることはできない。それは自分の信念に反する。

あくまで岩田は、起きていることの理由や仮説の裏付けを取るために、言いたいことの委曲を尽くすために、データを好むのだ。そのデータを収集する間口は広い。

岩田は社長就任の翌年、2003年10月、インターネットの会員制サイト「クラブニンテンドー」を開設した。登録費や年会費は無料。会員は、任天堂のゲーム機本体やゲームソフトを購入するなどしてポイントを獲得でき、貯まったポイントを非売品のオリジナルグッズに交換できる。

また航空会社のマイレージのように、年間で一定以上のポイントを得ると「プラチナ」、「ゴールド」という上級会員となり、特典がもらえる。2007年度の上級会員向けグッズには、Wii向けのスーパーファミコン風コントローラーなどが用意された。

ポイント付与は、「購入」の他に、「商品予約」や「アンケート回答」でもなされる。販売促進と購入後の満足度調査を兼ねたクラブニンテンドー。このシステムで得たデータは、任天堂の戦略立案に大きく貢献し、社内外でのプレゼンにも頻出している。

岩田のプレゼンの素材は、これにとどまらない。外部の調査機関を使い、面接による大規模なアンケートも始めた。国内では東京と大阪で実施し、サンプル数は約3000件。海外では、米、英、独、仏でも行っている。

ゲーム人口拡大戦略の検証として岩田がよく使う、DS、Wiiの男女、年齢別のユーザー分布を示すグラフは、この調査によるもの。同じく、DSの世帯当たりのユーザー数と世帯当たりの台数のデータも面接調査によるものだ。

Wiiチャンネルには、遊んだことがあるWii向けソフトについて、アンケートに答えてもらう機能も備わっており、ここで得たデータから、Ｗｉｉの仕様変更を決めたこともある。本体のデータ容量が一部のユーザーで不足気味であることを把握、ダウンロードしたソフトをＳＤメモリーカードに保存できるように改善した。

ほぼすべてのプロジェクトを把握し、時には自らが陣頭指揮を執り、投資家やメディアへの対応もこなす岩田。おそらく日本で最も多忙を極める社長の１人として、世界を舞台に経営の舵を取る。それでもなお、社内のコミュニケーションに時間を割き、社員に納得してもらうまで同じことを言い続け、説得力を増すための科学的なアプローチも忘れない。

岩田は語る。

「私は任天堂の価値観をすごく引き継いでいるつもりで、たぶんほとんど何も変わってないと思います。山内さんのやり方を否定する気はさらさらなくて、そこは尊重している。でも、昔とは違ってインターネットがあるよなとか、変化した環境にこれまでの価値観をどう生かしていくかは、考えます。それから、私は外様です。よそから来た若造の言うことを、実績50年の社長の前と同じように、みんな理由もなく聞くわけがないんですよ。じゃあ、徹底して丁寧に行こうと思いましてね」

岩田の仕事は丁寧すぎるほど丁寧だ。ただひたすらに、ゲーム人口拡大という目標に向けて、岩田は禁欲的に仕事をした。そして岩田は十分すぎるほどの結果を出した。所を得るとは、まさに岩田のことだ。

それでも岩田は、自分は有卦《うけ》に入っただけなのだと言う。

「結果として、とてもいい回転になったと私は思っている。でも、天の時に恵まれなければきっと私は同じことはできないし、それから、任天堂がもともと持っていた社風や哲学がなければ同じことはできない」

岩田に、こう言わしめる任天堂の社風や哲学。それは、任天堂が天国と地獄しかない、厳しい娯楽の世界で生き残る過程で、長い時間をかけて培ってきた珠玉のノウハウなのである。

第4章

笑顔創造企業の哲学

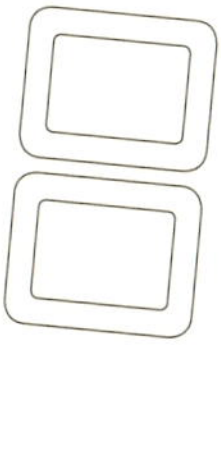

「独創的で柔軟であること。
これはある意味、任天堂の社是ですから。
……(中略)……
それから、人に喜ばれることが好き。
言い換えるとサービス精神ですかね」
……岩田

娯楽原理主義

2008年6月、東京・世田谷区にあるマクドナルド。店内に入ると、天井からぶら下がる「MでDS」というパネルに目がいく。

Mは、マクドナルドのお馴染みのロゴ。席に着き、テーブルに目をやると、同じステッカーが貼り付けてある。1人、DSのタッチペンを右手に持ちながら、左手のハンバーガーを頬張る若者がいた。ゲームをしているのかと思いきやそうではない。

DSの画面には「チーズカツバーガー」や「プレミアムロースト アイスコーヒー」といったメニュー案内。割引が受けられるクーポンや、北京五輪の公式スポンサーとしてのPRもある。注文はできない。が、タッチペンで触れれば店員が届けてくれるのではないかと勘違いしてしまうほど、その手の情報端末に似ていた。

DS以降の任天堂、つまり、岩田体制になってからの任天堂を見ていると、いったい任天堂は何屋なのかと、考えさせられることがある。

ゲーム人口拡大戦略は伝統的なゲームの枠を超えたジャンルのソフトを生んだ。それに伴い、事業の領域も生活全般に広がっており、ゲームとはかけ離れた分野で、ゲーム機の活用が始まっている。

2008年5月、任天堂は、「ニンテンドースポット」なる情報配信サービスを、マクドナルドと、つくばエクスプレスの協力を得て開始した。

マクドナルドの一部店舗（都内21店舗）と、秋葉原―つくば間を結ぶつくばエクスプレスの全20駅および列車内にニンテンドースポットのアンテナを設置。スポットの範囲内では、ユーザーは誰でもタダで、無線LANを通じた情報配信サービスを利用できる。

つくばエクスプレスの方は、「敵はiモードか」と思わせる内容だ。時事通信社が写真付きでニュースを提供、スポーツ・芸能ニュースはスポーツニッポンがフォロー。沿線の天気、グルメ、宿泊施設情報から、「行列のできる法律相談所」や「1分間の深イイ話」など日本テレビ提供の番組連動コンテンツまで、移動中の暇つぶしにはもってこいのラインナップである。

マクドナルドもつくばエクスプレスも期間限定の「実証実験」という位置づけだったが、この成果に満足した任天堂は2008年10月、今度は「ニンテンドーゾーン」と名を変え、同じような情報配信サービスを正式に開始した。関東・中京・近畿地区のマクドナルドの店舗から始めており、順次、対応するエリアを拡大していく計画だ。

国内で着々と整備が進むDS向けの〝見えない情報空間〟は、海の向こうにもある。

米球団シアトル・マリナーズの本拠地「セーフコ・フィールド」。ここで、2007年7月から DS向け情報配信サービス「Nintendo Fan Network」の試験運用が始まり、2008年4月から本格運用となった。こちらは、1日5ドルか10試合30ドルで利用できるという有料サービスだが、それにふさわしい「お得感」が満載となっている。

テレビ中継のリアルタイム映像をDSの上の画面で見ながら、下の画面でイチローなど所属選手はもちろん、全球団、全選手の各種データにアクセスできる。小腹がすけばホットドッグやコーラを注文、自分のシートまで届けてもらうことも可能だ。

試合進行に合わせて出題されるクイズコンテストもあり、マリナーズ所属選手のサイン入り限定DSといった賞品を用意するイベントも実施している。

立派な情報端末として、街で、駅で、野球場で、活躍を始めたDS。

岩田は、国内での普及台数が2000万台を突破した頃から、公共エリアや商業施設での可能性について言及するようになった。

「どこにでも持って行けて、年齢も性別も関係なく誰でも触れて、無線通信ができて、プログラムが配れて、というような1つのプラットフォームが、こんな規模で普及したのは、おそらく史上初めてだと思うんです」

岩田が言う「1つのプラットフォーム」とは、同じ使い勝手で同じプログラムが動く端末という意味。携帯電話の普及台数はDSを遙かに上回るが、機種ごとにOS（基本ソフト）やインターネットを閲覧するブラウザの特性が違うため、コンテンツ事業者は、それぞれ個別の対応を考えなければならない。

しかしDSであれば、そうした面倒なことは考えずに済む。ここに岩田は着目し、情報配信サービスを始めた。そうなるとメディアは、すわ、「携帯電話やPDA（携帯情報端末）に対抗」や「情報配信事業に参入」と見出しを付けて、色めき立つ。アナリストも新しい収益源として、期待を抱いてしまう。

だが情報配信サービスへの取り組みは岩田にとって、業容拡大でも新規事業への参入でもない。

「以前、岩田社長がDSというインフラを使って新しいビジネスを構築したいと言われたが、いつ頃スタートするのか、収益に与えるインパクトなど、その後の進捗を教えて欲しい」

2008年4月、決算説明会の質疑応答の場面で、こんな質問が飛び出した。この時はまだ、マクドナルドやつくばエクスプレスのような具体的な活用法は明かされていない。期待が膨らむメディアやアナリストを諭すように、岩田は真意を語る。

「私たちは国内で2200万台のDSを販売させていただくことはできましたが、何が一番恐ろしいかと言いますと、DSが押し入れの中にしまわれてまったく触られなくなることです」

売れたはいいが、そのうち飽きられ、忘れ去られてしまうことが、任天堂にとっては何より痛いし怖い。そこで考えたのが、「DS持ってて良かった」作戦である。

様々な場所でDSを持っていると便利だったり、お得だったりするシーンを作り出せば、人々は常に携帯してくれるようになる。そうなれば、DS市場は廃れることなく、活気を維持することができるという算段だ。

しかも任天堂は、あくまで最初のショーケースを示すだけであり、情報端末としての活用に注力する気はないと言う。

「別に全部任天堂がやる必要はないんですよ。このハードはこう使うと面白いんですよという幾つかの例を、まず最初に具体的に示すことが、任天堂のソフト部隊の重要な仕事。皆さんに、なるほどねと言っていただける例ができたら、たくさんの（ソフトメーカーや公共エリアや商業施設などの）人が、じゃあこう使ってみようとなって、本当にインフラとして使っていただけるようになるのかなと」

任天堂のゲーム機はゲーム以外の目的で活躍し始め、任天堂の事業領域は一見、広がっているように見える。だが任天堂は、あくまでも「ゲーム屋」であることにこだわり、すべては「人々にゲーム機に触り続けてもらうためにやっている」と、強調する。そして、ゲーム以外の目的に集中することもない。一事が万事そうだ。

任天堂はDS向けの脳トレやえいご漬けといったソフトで、ゲーム機が知育・教育分野でも活用できることを示し、Ｗｉｉスポーツやｗｉｉフィットでは健康分野で役立つことを見せた。

それを見て、外部の企業や施設などが次々と教育や健康分野での活用を始めている。

ＮＥＣは２００９年４月から、グループの社員や家族向けに、Ｗｉｉフィットを利用した健康支援サービスを開始した。利用者は家庭に居ながらにして、保健指導者から的確なアドバイスを受けることができる。

米国ではフィットネス器具としてＷｉｉを導入するホテルも登場した。ウェスティンホテル＆リゾートは２００８年５月から、ニューヨークなど米国の主要なホテルのフィットネスセンターにＷｉｉを設置、宿泊客がＷｉｉフィットやＷｉｉスポーツなどを使って汗を流している。

教育分野でも、本格活用が始まっている。教育関連出版大手のベネッセコーポレーションは２００８年１月から、教科書に準拠した中学生向けのＤＳソフト《得点力学習ＤＳ》のシリーズを、「次世代型進研ゼミ」と称して販売中だ。

学校の授業での活用も多い。文部科学省は２００７年９月から、ＤＳを使った学習効果を検証する研究事業として、全国13の小中高に計５６０台のＤＳ本体とソフトを貸し出し、授業に取り入れている。

ランニングマシンの隣にＷｉｉ、学校の授業でＤＳという、従来のゲーム業界の常識では考えられないような展開。

しかし任天堂は、「私たちは日本を、世界を健康にしたいんです」と言って自ら健康関連ビジネスへ参入することはしないし、「子供たちの成績を上げたいんです」と言って教育関連ビジネスに躍起になることもない。

「任天堂という会社は、昔からゲームという事業ドメイン以外に対しては極めて禁欲的。余計なことはしない会社なんです。Ｗｉｉフィットが普及したからといって、自らがデータを収集して健康管理のビジネスに手を出そうなんてことは、絶対に考えられない」

任天堂との付き合いが深いゲームソフト大手、スクウェア・エニックスの社長で、社団法人コンピュータエンターテインメント協会の会長も務める和田洋一は、こう話す。

実際、ＮＥＣに加えて、日立製作所やパナソニックの子会社などがＷｉｉフィットを利用した健康支援サービスを企業向けに提供しているが、任天堂はソフト開発における協力をしただけ。サービスの運営や販売には関与していない。

嫌われ者だったゲーム機を、社会は実用分野に役立て始めた。しかしそれらは、社会が自律的に行っていること。任天堂は協力はするが、自らは運営に手を出さない。

なぜかと問うと、岩田はこう言った。

「だって、私たちは、娯楽の会社ですから」

ゲーム人口拡大という旗印のもと、ひたすらゲームの復興を願い、結果として事業領域が拡大

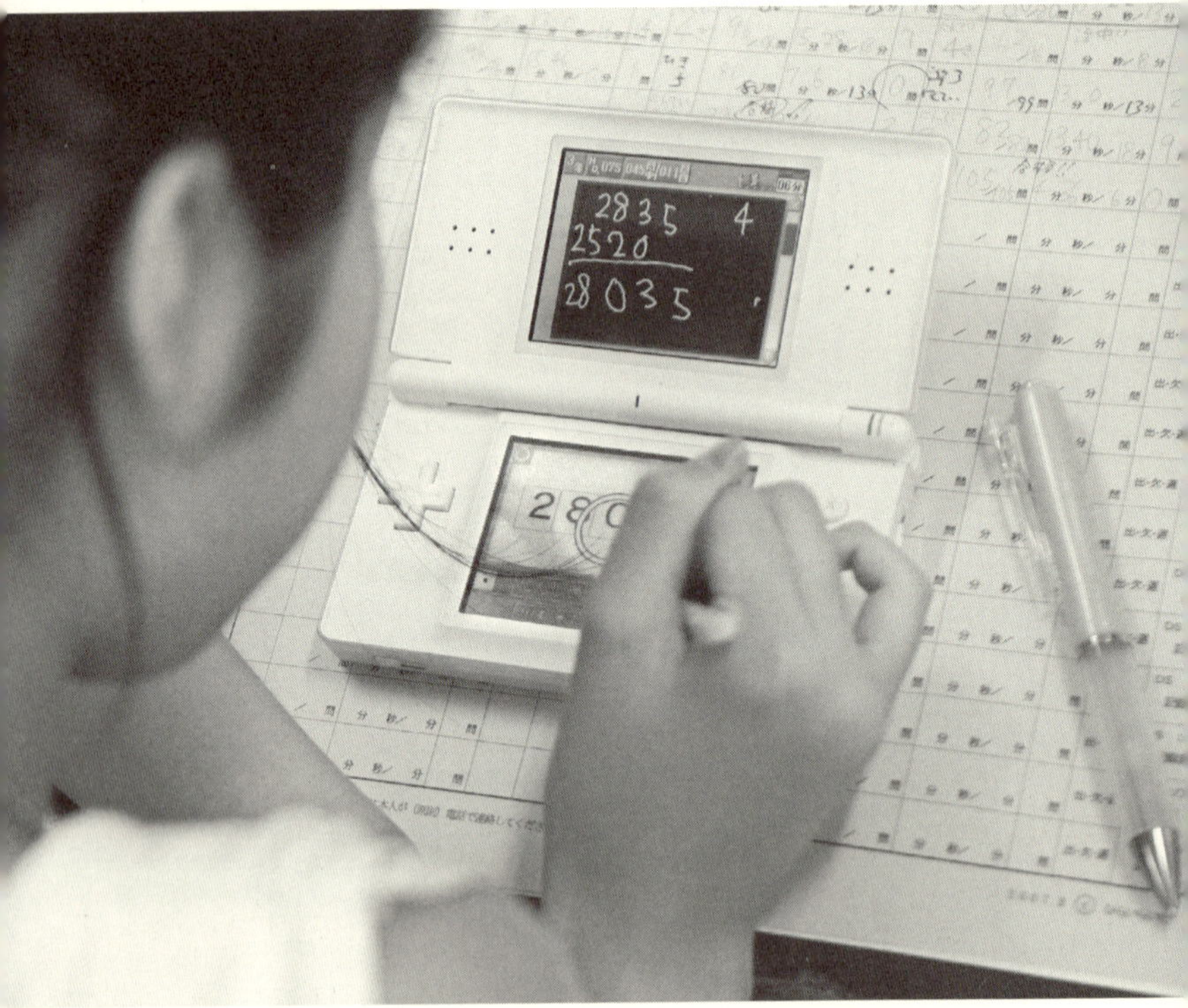

2007 年 8 月、東京の中学校で《ニンテンドー DS Lite》を利用した数学の補習授業が行われた。長い間勉強の敵と見られてきたゲームが、現在ではデジタル世代を教える教師たちを助ける（写真提供：AFP ＝時事）

しても、決して軸足を娯楽屋から外さず、自らは黒子に回る。マクドナルドもウェスティンホテルも、ベネッセも文科省も、外野から任天堂の娯楽ビジネスを応援してくれるサポーターであり、その流れを岩田は巧妙に演出しただけに過ぎない。

「娯楽原理主義」とでも言うべき、徹底した姿勢を貫く岩田。この根底には、前の時代から伝わる、ある不文律が横たわっている。

「任天堂らしさ」を守る

事業領域を「娯楽」にとどめる任天堂は、組織も極力コンパクトに抑えている。その理由を岩田はこう話す。

「任天堂がやることは、任天堂が一番強みを発揮できる部分に絞るべき。これは私が山内から教わったことですけど、上手に捨てられるから少ない人数でも大きなところと戦えるわけで、絞ってなければ、ソニーさんやマイクロソフトさんのようなジャイアントカンパニーを向こうに回して競争なんかできないわけですよ。ですから、事業を分散させない。それを前提にすると、自分たちではできないことは他社さんと組まないといけないわけで、その組み方もどんどん変わっていくんだろうなと思います」

自社は得意分野であるビデオゲームというコアコンピタンス（競争力の源泉）に集中し、コア以外の部分はよその力を借りる。

ゲームの領域でもゲーム機の製造工程すらコア以外と見なす。

任天堂はファミコン時代から、ハードの製造を外部に委託する〝ファブレス〟企業。その分、

任天堂の連結従業員数の推移

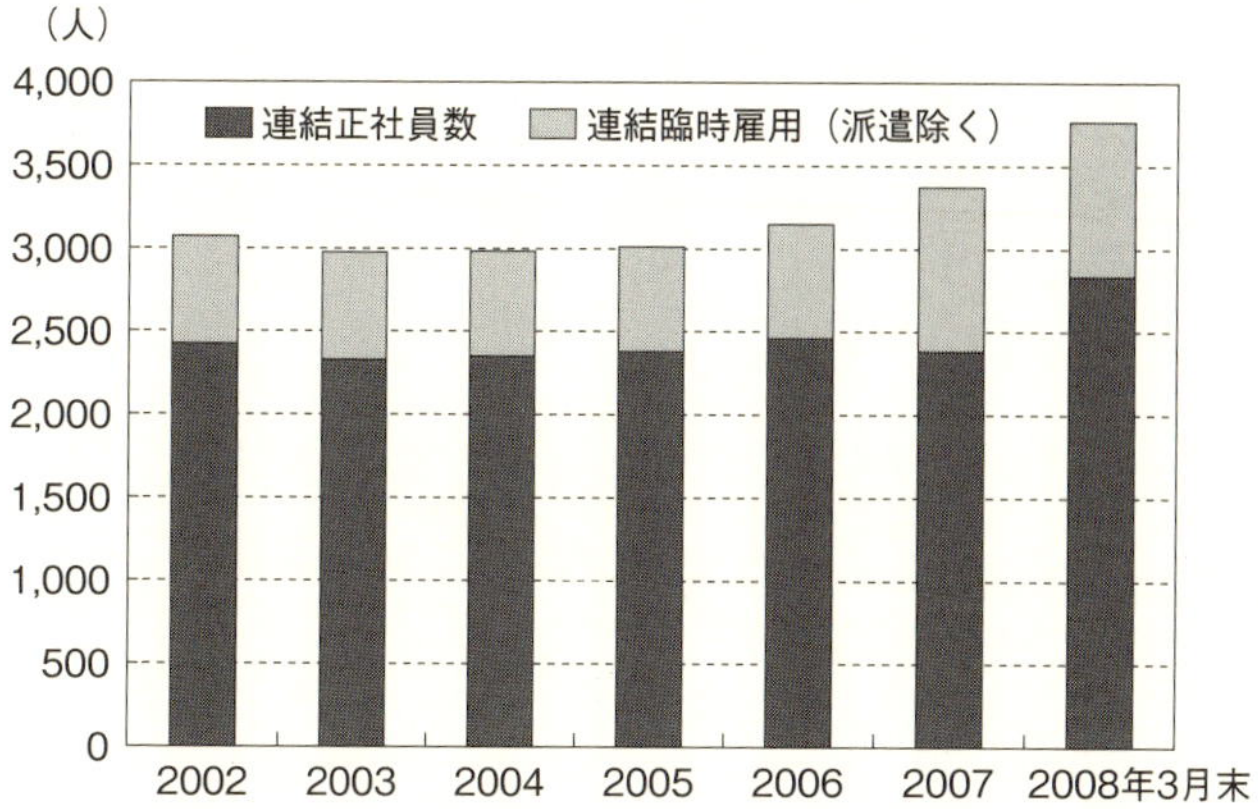

ゲーム機本体の研究開発や、ソフトの開発にリソースを振り向けることができ、強みを発揮している。

選択と集中のお手本のような運営。にしても、任天堂という会社は組織の拡大を厭う傾向が強い。

ＤＳとＷｉｉを当ててからの任天堂は繁忙を極め、フル回転の状態だ。岩田は言う。

「すごく任天堂が恵まれていると思うのは、今、作ってみたいネタの方がやれる人の数より圧倒的に多いんですよ。だから、宮本と2人で話していて、それはいい案だってお互いに認めているのに、チームが足りないよねっていう話が結構ある」

岩田がそう話すように、ソフトではすべてのアイデアを具現化するに至っていない。であれば採用を増やせばよい。飛ぶ鳥を落とす勢いの任天堂に入社を希望する人間はごまんといる。しかし、組織の規模は昔とあまり変わらない。

岩田が社長に就任する直前の2002年3月末の時点で、グループ会社を含めた任天堂の従業員数は、3073人だった。それから6年が経った2008年3月末、従業員数は3768人に増えた。

この間、任天堂の業績は、売上高が約3倍、純利益が約2・4倍と急拡大している。このことを考えると、増えたと言っても、1・23倍という従業員数の増加率はいかにも少ない。パートタイムの社員や契約社員を除いた正社員数の増加率は、さらに低い1・17倍である。

手っ取り早くM&A(合併・買収)をするという手もある。幸い、任天堂は潤沢なキャッシュを昔から持っているし、無借金経営も続けている。2008年12月末時点の現金および換金可能な有価証券など現金同等物の残高は、1兆円を超える。

ところが岩田が社長になってからの大きなM&Aと言えば、バンダイナムコゲームス傘下のゲームソフト会社、モノリスソフトを2007年4月に買収した程度。大きいと言っても、取得金額は数億円。買収の直前期の売上高は6億4900万円と、小さな会社である。

投資家の立場からすれば、1兆円近いキャッシュは〝塩漬け〟の余剰金でしかなく、ROE(自己資本利益率)の分母を大きくするだけの無用の長物とも言える。彼らにとって良い企業とは、少ない資本で多くの利益を稼ぐ企業。任天堂は「資本効率が悪い」と見なす投資家もいる。

選択と集中は良い。しかし、事業規模が昔とは比較にならないくらい肥大化し、しかも忙しいのだから、「ゲーム事業をさらに成長させるために投資をすべきだ」という論理は筋が通るし、実際に、そうした要望を投資家から突きつけられてもいる。

だが任天堂は、潤沢なキャッシュをM&Aなどの巨額投資には振り向けず、一定額を貯蓄し続ける資本政策を貫く。その理由を、岩田はいつも、こう話す。

「ゲームプラットフォームというのは勢いでビジネスをしていますから、失敗した時のダメージが非常に大きいんですね。すごくリスクが大きい。その中で、任天堂は従来の延長上にないものを作っている。それは誰も成功を保証してくれないわけですよ。何か一発大失敗をしたら、2000億円、3000億円がドーンとなくなるかもしれない。1回失敗したら後がない、倒産してしまうような状況では、うまくいかないビジネスなんです」

確かに、任天堂はWｉｉ発売前に、「2007年3月末までに全世界で600万台を出荷する」という生産計画を立て、計画に沿って部品の発注や工場のラインを押さえた。2万5000円が600万台で1500億円。ここに研究開発費が乗れば、リスクは2000億円を超える。

「我々は、同じことは目指していないですけど、お店に行けば、世界一お金持ちの会社が作っている商品と、世界一の家電メーカーが作っている商品と競争していることになっている。私は正直言うと、今でさえ、（貯蓄が）十分だとはとても思えない」

そう語る一方で岩田は、「貯蓄には、もう1つの意味がある」とも言う。自社工場を持たないファブレス企業ならではの信用保証の面で、キャッシュは大きな意味を持つのだと。

「任天堂のハード開発は全部、外のパートナーとやっている。技術のロードマップに乗らないことをしてくださいなんて、無茶なことを言っても、任天堂は絶対に取りっぱぐれがないと思ってくださっている。だからIBMにしても、NECにしても、その他のたくさんの会社にしても、付き合ってくれるわけです。実は、キャッシュリッチでないとできっこない仕事をしているんですよ」

だから岩田はキャッシュを確保した上で、投資家への対策として、利益還元を大幅に増やした。2005年度から配当性向を50％以上とし、長らく年間140円だった配当金は2007年度、1260円まで増えた。配当性向は63％と極めて高い水準にある。2008年度はさらに高い1370円になる見通しだ。

もちろん、岩田は巨額投資を金輪際しないつもりでいるのではない。積み上げが順調に進み、貯蓄額が1兆5000億円、あるいは2兆円規模になれば、巨額M&Aに動く可能性はある。ただ、その場合には条件がある。この条件こそが、任天堂が拡大を厭う本当の理由なのだ。

「一度に社員数を10倍にしましょうみたいな計画をしても、任天堂らしさは保てません」

岩田は、この「任天堂らしさ」という言葉をよく使う。任天堂という会社は不思議な会社で、企業理念や社是・社訓といったものが、どこかに明文化されているわけでも、誰かが口にしているわけでもない。だが任天堂で働く者は、「任天堂らしさ」という共通認識を持ち合わせている。それは、山内の時代から脈々と伝わる任天堂の企業理念やDNAのようなものであり、人から人へと受け継がれてきたもの。

一度、任天堂らしさを会得した人間は、滅多なことでは任天堂を離れない。そのことが、任天堂の血を守り、濃くすることにつながっており、社員の居心地の良さが保たれる。裏を返せば、むやみなM&Aは「らしさ」を知らぬ人間を増やし、居心地を悪くするだけなのだ。

「よくお話しするんですけど、20年前からやっているメンバーとほとんど一緒なんですよ、未だに。家の事情で辞めたとか、そういう人がいるくらいで、ほとんどメンバーは残っていますね。それは奇跡に近いです」

そう話す宮本は、世界的なゲームクリエイターとして何度も引き抜きの話を持ち掛けられている。相当な金額を積まれて。それでも「こんなに恵まれた場所はない」と、任天堂に残り続けている。同様に、他社から誘われる社員は宮本以外にもたくさんいるが、ほとんどが固辞するという。

任天堂の報酬は高いと言われるが、実は1人当たりの収益を考えると、決して高いとは言えない。

2008年9月、英国の経済誌『FINANCIAL TIMES』は、「1人160万ドルの利益を稼ぐ任天堂」という記事を掲載し、任天堂の収益力を絶賛した。記事は「最新の業績予想と正社員数で比較すると、任天堂の1人当たりの利益は、米グーグルの62万6000ドルや、ゴールドマンサックスの124万ドルといった数字を凌駕する160万ドルもある」と報じ、「2007年度のゴールドマンサックスの社員の平均給与は66万ドルだが、任天堂は9万900ドル。従業員の報酬が低いことが利益を押し上げている」と分析している。

報酬ではない何かが従業員を惹きつけている。それは、やはり任天堂らしさを形作るDNAに違いない。それを固守することは、任天堂の経営を担う者の宿命でもある。岩田は語る。

「任天堂が何でも屋になってしまうと、任天堂の個性が失われて、任天堂の良さが失われていくと思うんです。私は尖っているから強いと思っていますから。強みというのはそういうものだと思います」

事業領域を拡大しないのは、得意分野の「娯楽」に徹したいから。リスクの大きい「娯楽」だから、預金で守りを固め、M&Aもしない。すべて理屈は通るのだが、やはり根底には、任天堂らしさを守りたいという意識があるからこそ、余計なことはせず、拡大も厭うのだ。

任天堂らしさとは何か。任天堂のDNAとは何か。明文化されておらず、体で会得するものなのだから、言葉に尽くすのは難しい。でも、岩田に「採用の時、どんな人が欲しいという基準はあるのか」としつこく聞いた時、岩田はヒントとなる言葉をくれた。

「独創的で柔軟であること。これはある意味、任天堂の社是ですから。文書として伝わってないだけで、山内時代から、たぶん任天堂がずっと守っていくべきこと。それから、人に喜ばれることが好き。言い換えるとサービス精神ですかね。うん。それから知的好奇心があること」

「驚き」や「喜び」を食べて育つ

1976年、高校2年の時、最初に手に入れたコンピュータ「ポケコン」でプログラミングに明け暮れていた頃の話を、岩田はネット上のメディア「ほぼ日刊イトイ新聞」で述懐している。対談の相手は、1994年に発売されたスーパーファミコン向けソフト《MOTHER2 ギーグの逆襲》のゲームデザインを手掛けたコピーライターの糸井重里。ハル研究所にいた岩田はこのソフトのプログラミングを途中から手掛け、窮地に追い込まれていたMOTHER2のプロジェクトを救った。

そこから2人の親交は深まり、岩田は任天堂の社長となってからも糸井の事務所に何度か顔を出している。

岩田　たまたま高校時代に、数学とかの授業の席が隣だった友達が、ちょっと面白いやつで、一緒に数学の授業を聞かないでゲームをやって遊んでたんです。

糸井　その子も、コンピュータが好きだったんですか?

岩田　その子は……何ていうか、私が作ったものを喜んでくれる、私にとっての最初のお客さんなんです。ユーザー第1号なんですよ。

糸井　つまり、お笑いの得意なやつに、笑ってくれるやつがいたように——。

（中略）

岩田　人間はやっぱり、自分のやったことを褒めてくれたり喜んでくれたりする人がいないと木には登らないと思うんです。ですから、高校時代に彼と出会ったことは、私の人生にすごく影響を与えているんだと思いますね。

この高校時代の風景は、岩田の原体験となり、任天堂の社長業に連なる。任天堂のモチベーションは「儲かりたい」ということなのかと問うた時、岩田はこう話した。

「受けたいんですね、要は人々に。受けたいからやっていて、そしてその受けてくれるお客さんの数が多いほど、私たちは自分たちの仕事の達成感が大きくなる。任天堂の意図はあくまでお客さんに喜んでもらうこと。我々が作ったものでお客さんにニコニコしてもらうことです」

岩田はＤＳがヒットし、Ｗｉｉを発売した頃、よく社内に向けてニコニコの連鎖の話をしていた。ゲームが面白いというニコニコ、親子の会話が増えたというニコニコ、おじいちゃんが歳をとっても明朗快活でいられるというニコニコ、何でもいいからお客さんが笑顔でいられることを目指す。そのやりがいで任天堂の社員もニコニコできる。

結果として商品が売れ、取引先の人もニコニコし、業績が上がれば投資家もニコニコする。その連鎖が任天堂の究極のミッションであり、連鎖がうまく回れば任天堂は持続可能な組織となり、社会に対しても責任を果たしていける。すべて綺麗にかみ合うよね、と。

つまり、任天堂は何の会社なのか。岩田はニコニコしながら、こう言う。

「笑顔創造企業。それが娯楽産業のあるべき姿なんじゃないかと」――。

受けて欲しい、笑顔になってもらいたい。その任天堂のミッションを達成するために必要な要素は、「驚き」や「喜び」である。

任天堂はその昔、太陽電池をセンサーとして使った「光線銃」を発売して、世の中を驚かせ、楽しませた。ゲーム&ウオッチでもファミコンでも、見たこともない機械、見たこともない画面に人は驚き、喜んで遊んだ。半導体技術が成熟するにつれ、ビデオゲームの画面は綺麗になる。ところが、世の中にはハイビジョンのテレビやパソコン、高機能な携帯電話が溢れかえり、自分の操作で画面が動くことへの「飽き」がゲーム産業の衰退をもたらした。

そして、苦悶した任天堂が艱難辛苦《かんなんしんく》の末に生んだのは、やはり、見たこともないゲーム機、やったことのないゲームだった。ふたたび世の中に驚きを与えることができたからこそ、今日の成功がある。だが、言うは易く行うは難し。驚きを生み続ける苦しみや辛さに、この先も任天堂は耐えていけるのだろうか。

「僕らはお客さんが驚いてくれたり、喜んでくれたりするという、たぶんこの上ない、最高のご褒美を頂戴して、それをエネルギーにしている。例えば宮本がどんなにすごくても、世間からの反応をすべて遮断したら、たぶん全然仕事ができなくなると思うんですよ。反応が返ってくるから、面白くてどんどん仕事ができるんですね」

岩田はそう言って、苦しみや辛さへの不安を一蹴する。では、世界的なクリエイターとしての技量を常に問われている宮本はどうか。たたみかけるように聞いてみる。

――常にサプライズを与え続けることに疲れないですか？

疲れないです。

――次は、もう種ないよ、ネタ切れだよと、なりませんか？

ずっとそう言っていますからね、毎年（笑）。

――もう、次の驚きのテーマは見えているんですか？

見えてないですよ。もうずっとここ何年も見えずにきていますから。ただ5年経って振り返ってみると、あの頃には今の姿は見えてなかったよなと思うことを繰り返しているので、まあ、何か出てくる。だからできないという不安はないんですよ。

――プレッシャーもない？

プレッシャーなんか感じたってしんどいだけ。いかに楽しく仕事をするかだけを考えてます。

任天堂の研究開発費の推移

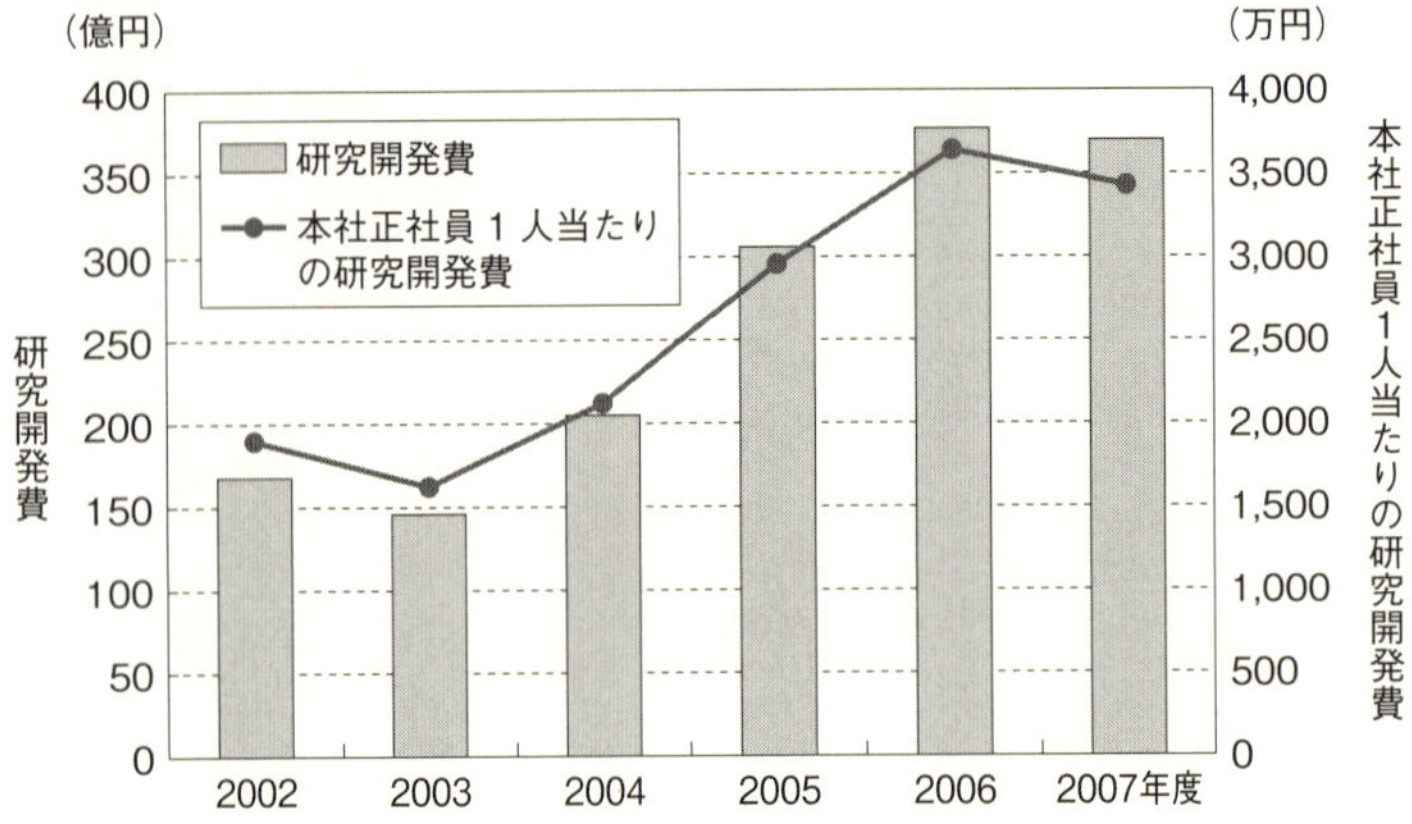

驚きや喜びを食べて育つ人間が働く会社であり、会社もその成果を食べて育つ。それが任天堂なのである。もちろん、先立つものがなければ、驚きを生むことはできない。しかし、任天堂にその環境は揃っている。驚きを生み出すために欠かせない豊富な「資金」が。

前述の通り、任天堂の個人の報酬はずば抜けて高いわけではない。宮本は、任天堂より高額な報酬を提示され、引き抜きの話を持ち掛けられたことだってある。それでも残るのは、提示された報酬を遥かに上回るほどの予算を、驚きや喜びの創造にあてることができるからだ。宮本は言う。

「個人のお金と仕事で使うお金はまったく別ですから。僕はすごく早い時期にそれを察知できた。今、うちの開発をメインでやっている人たちも、開発予算はあってないようなもの（笑）。いや、きちっと管理はしているんですよ。けれども、必要があればお金を使うのはいいよと会社も言ってくれるので、本当に楽ですね」

しかも任天堂の研究開発費は、年々増加傾向にある。2007年度は370億円。本社の正社員全員に決裁権限があると仮定してその数で割ると、1人当たり約3500万円も使える計算になる。例えばキヤノンの場合は同じ条件で、約1200万円。任天堂の約3分の1だ。

加えて、開発のためなら、あまりうるさいことは言われないから嬉しい。任天堂は、稟議を通すためのプレゼンテーションや交渉、社内調整など煩わしい作業を、あまり要求しない会社なのだと、岩田は言う。

「例えば宮本が、会社からどうやって予算を取るかということに、時間やエネルギーの半分を使わなきゃいけないとしたら、今と同じだけのクリエイティブのパワーをこの年齢で維持できてないと思う。その価値を（宮本は）若い頃にわかりました、ということなんですね」

ちなみに宮本は2008年11月16日、56歳の誕生日を迎えた。驚きや喜びを活力に変えているからなのか、あと4年で定年とは思えない若さを、見た目も中身も保っている。

他にはないユニークな商品を開発し、世の中に驚きと喜びを与えて、それを活力にする任天堂。その様は、あの米国の会社と重なる。

似て非なるアップルと任天堂

東京・銀座、老舗百貨店「松屋」の向かいに、国内におけるアップルの旗艦店、「アップルストア」の銀座店がある。2008年11月のある日、筆者はここを訪れた。

エレベーターで4階に上がると迎えてくれたのは、米アップルの上級副社長で、すべての製品に関するマーケティングを統括するフィル・シラー。スティーブ・ジョブズCEOの右腕、COO（最高執行責任者）のティム・クックと並ぶナンバー2と言われている男だ。

当時、売り出したばかりの新型パソコンを手に、いかに製品がユニークで革新的であるか、熱弁を振るう。広報による統制のもと、新製品に関する質問に限ると念を押されていたが、どうしても聞きたくなった。「任天堂とアップルは似ている」と世間で言われていることへの印象を。

すると、シラーは答えてくれた。

「驚きをもたらすユニークで興味深い商品をたくさん作っているという点で、アップルと共通するところは多い。大変尊敬しているし、評価もしている。個人的にも、ゲームキューブとWiiを持っているよ」

やはり、当事者にも自覚があったのだ。

2008年、コモディティ化が進むパソコン市場は低価格一色に染まった。主要なメーカーはインターネットやメールなどの機能に特化した500ドルを切るパソコン、いわゆる「ネットブック」を相次いで投入、2008年末には「300ドルパソコン」まで登場し、価格破壊が進んでいる。

そんな中、米アップルが2008年10月に投入したのは、低価格路線とは真逆を行く、こだわりの一品だった。リニューアルしたノート型パソコン《MacBook》だ。

「1枚のアルミ板から削り出したユニボディは非常に大きなブレークスルー。アルミは軽くて耐久性も高く、見た目も美しい。ノートブックを作る上で画期的なことだった」

シラーがそう語るように、継ぎ目のない美しい筐体は目を見張るものがある。レーザーで削り出したアルミ製のフレームを採用したユニークなデザインは、他のパソコンと一線を画していることを強調している。

何より楽しいのは、他にない直感的な操作を可能にしているガラス製のトラックパッド。1本指でなぞれば従来のマウス操作。2本指でなぞると縦横自在にスクロールしてくれる。さらに、2本指でつまんだり離したりすれば、《iPhone》のように写真などを拡大・縮小してくれるし、3本指で左右にこすればアルバムをめくるように写真を閲覧できる。

こうしたアイデアはすべて特許で保護され、他社は簡単にマネをすることができない。逆に他社がこぞって参入している低価格パソコン市場に興味はないのか。シラーに聞くと、こう言った。

「思いもよらなかったけれど提供されることで使ってみたくなる機能が、ＭａｃＢｏｏｋにはたくさん付いている。価格重視で機能を必要としない人もたくさんいるのだろうけれど、我々は常に他社に先駆けて新しい価値を提案し、市場をリードして来た。その考えは変わらない」

パソコン向けＯＳで90％以上のシェアをマイクロソフトに握られても諦めずに我が道を行き、消費者に驚きを与える製品を出し続けるアップル。低価格パソコンが急伸する中、14万８８００円からの新型ＭａｃＢｏｏｋは、世界中で健闘している。

２００８年10～12月、アップルのパソコンの出荷は前年同期比で９％増だった。うち、ノート型は34％増。新型ＭａｃＢｏｏｋ効果である。米調査会社ＩＤＣによると、同時期、世界のパソコン出荷台数は、前年同期比で０・４％減と、市況が悪い中での好成績だ。

携帯音楽プレイヤーの《ｉＰｏｄ》、携帯電話のｉＰｈｏｎｅ……。普通の製品は作らない。アップルは驚きを与え、使って楽しい製品を開発することに集中し、消費者はその新しい価値に対価を支払う。ソフトウェアの開発に誇りを持ち、驚きや新しい体験を、ハードとソフトの両輪で実現させる。

そんなアップルの姿勢は、確かに、任天堂と似ているのだ。岩田もそう感じている。

米アップルと任天堂の業績比較

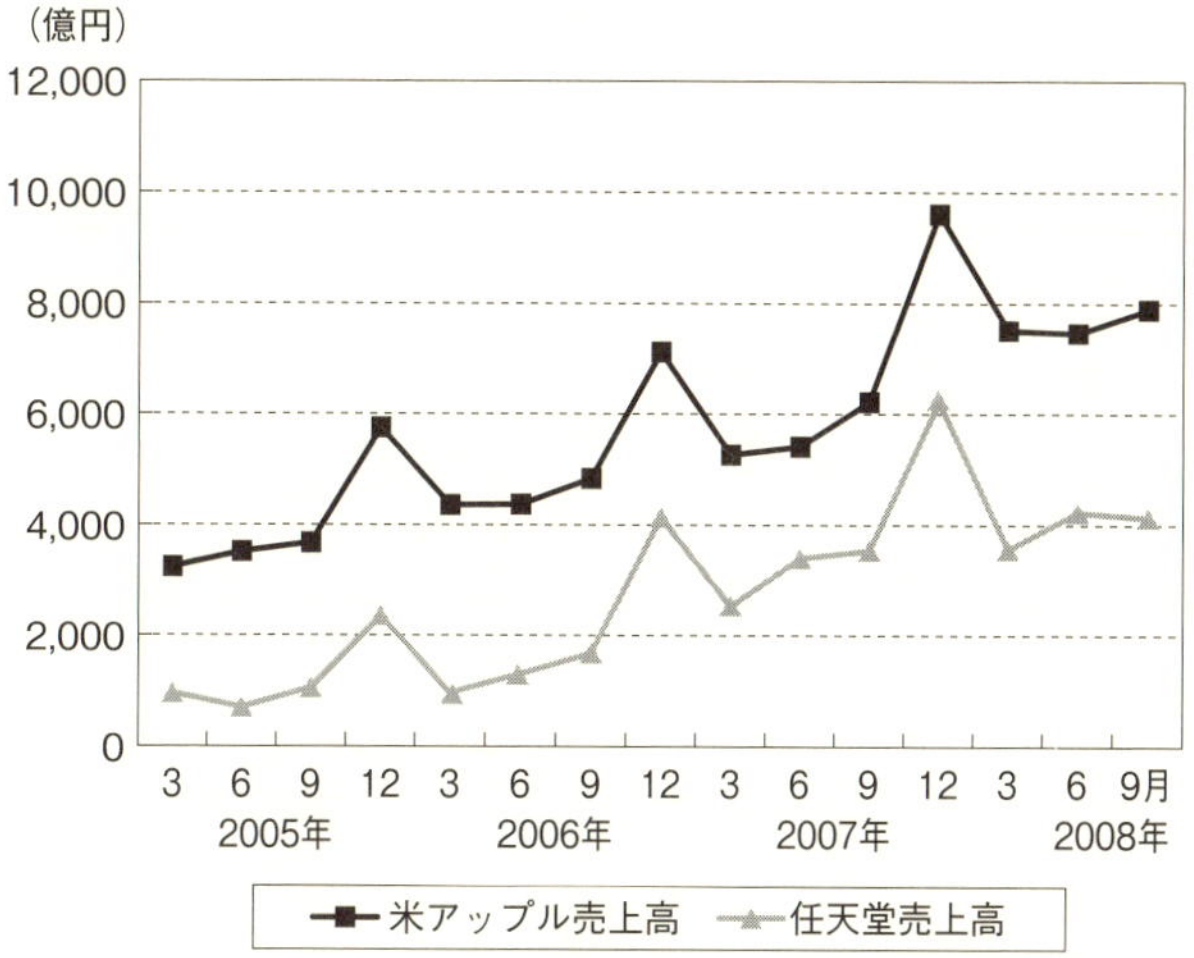

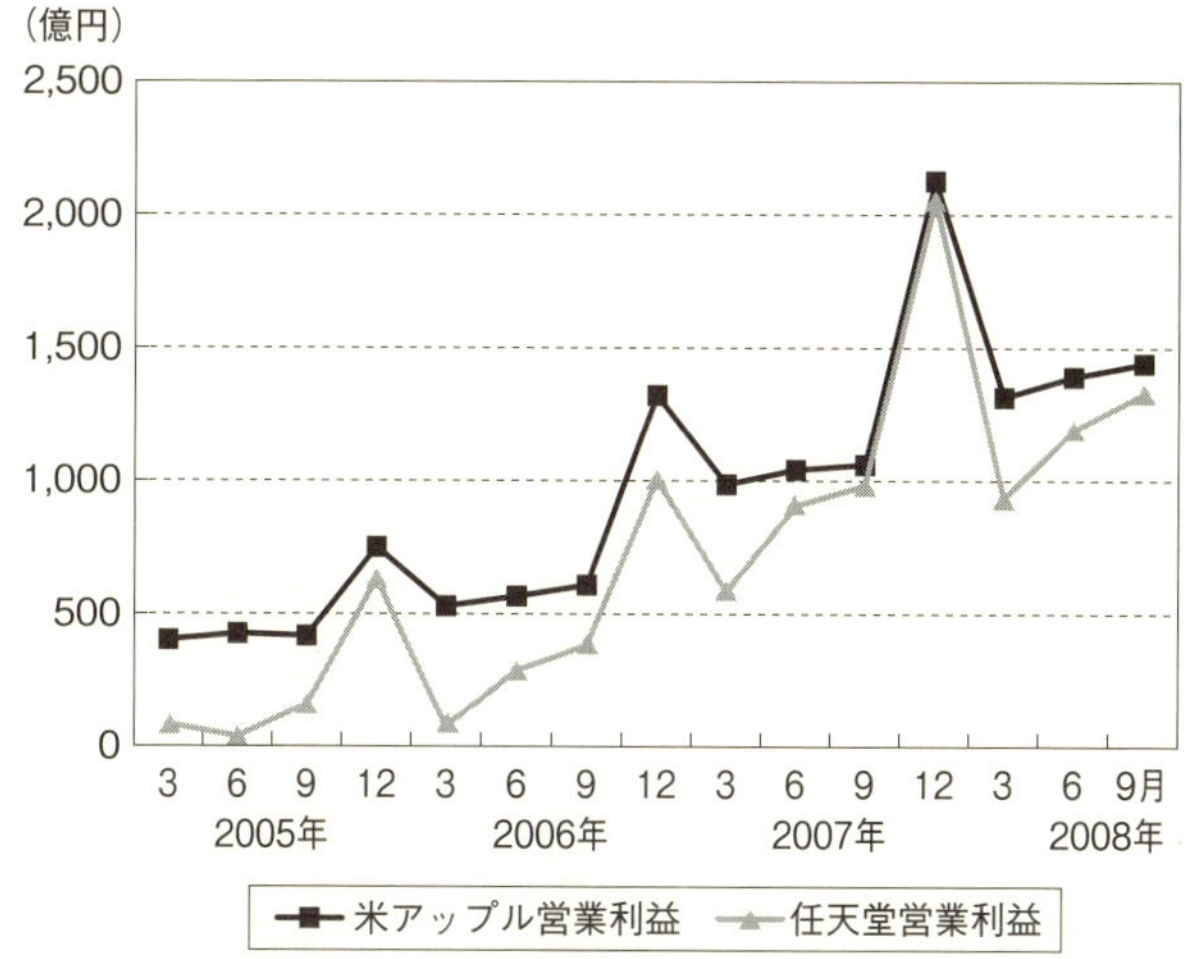

（注）1ドル＝100円で計算

「我々は、人に驚いてもらいたいですし、そしてユニークなアプローチだと言ってもらいたいわけですよ。それらのことはアップルさんも同じように言われているんですね。ですから、ああ、作っているものは違っても、ある方向を究めていくと共通点がいっぱい出てくるんだなと感じます」

似ているのは、ビジネスへの姿勢だけではない。両社の業績も、まるで相似形を描くように連なって躍進している。

面白いことに、アップルも任天堂と同様、Ｍａｃの販売不振で、もがき苦しんだ時期がある。しばらくアップルを離れていたジョブズが２０００年にＣＥＯに返り咲いた時から、その快進撃は始まった。奇しくも、岩田が任天堂に入社した年である。

デザイン、ソフト、驚き、楽しさ……。「アップルらしさ」を形作るキーワードを前面に押し出し、ｉＰｏｄを生むと業績は反転。そしてジョブズはｉＰｏｄの成功体験を下地に、パソコンでの反撃を始めている。ＷｉｉがＤＳに続いたように。

業績低迷からの脱却、復活を遂げたアップルと任天堂。いつしか消費者や株式市場の関係者、そしてメディアは両社に対して「必ず独創的な商品を出してくる」と期待するようになり、次のサプライズはまだかと固唾を呑んで見守るようになった。

宮本は2社の躍進で見えたことを、こう表現する。

「アップルとは非常に共通点があるなと思っていて、お客さんがどう反応するのかということを予測する力がすごく高い。僕らが自分で高いと言ったらダメなんですけどね。けど、そういうことを結構、意識していて、これは受けるかどうかということに対して、(任天堂もアップルも)非常に敏感に仕事をしていると思いますね」

ちなみに、岩田は20年来のアップルファン。昔からＭａｃＢｏｏｋを愛用し、決算説明会などで使うプレゼンテーション用の資料も、ジョブズも使っているＭａｃのソフト「キーノート」で作ってしまう。ｉＰｏｄも初代から愛用している。世代が替わるたびに買い揃えてしまうので、周りからは呆れられているほど。もちろん、ｉＰｈｏｎｅも持っている。

ただし岩田は、決定的な違いを強調することも忘れないのだ。

「どうすれば任天堂の強みを発揮できるだろう、会社の明るい未来はどうしたら描けるんだろうといろいろやってみたら、結果、人は『任天堂ってアップルに似ているよね』と言ってくださるようになった。でも、うちは娯楽の会社で、アップルはハイテクの会社。やっぱりやり方が違うところは、たくさんある」

娯楽とハイテク。娯楽品と生活必需品と言い換えることもできる。もはや、これからの社会をパソコンなくして生き抜くことは難しい。携帯電話もしかり。携帯音楽プレイヤーは娯楽品かもしれないが、生活に欠かせないと考える人も多い。

一方、ゲーム機などなくとも生きてはいける。生活が便利になる必需品の類ではない。それこそ、家ではパソコン、外出先ならｉＰｏｄや携帯電話でも、ゲームを楽しむことはでき、ゲーム専用機の存在意義は年々、薄れている。

任天堂は、この厳しい環境と対峙し、戦ってきた。

それが、岩田が「アップルとはやり方が違う」と言う所以であり、プライドでもあるのだ。

「役に立たないモノ」で培われた強み

家族から嫌われないテレビのリモコンに憧れ、なるべく近づこうとした結果、似た形状に落ち着き、名称も「Ｗｉｉリモコン」となったＷｉｉのコントローラー。だが、それだけで飽き足らないＷｉｉリモコンは２００８年３月、ついに本物のテレビリモコンとなってしまった。

「今のデジタル家電のテレビ番組表はとてもよくできていると思うんです。けれども、何となく番組を探そうと思ったら、１週間分スクロールするだけで日が暮れると思うほど待たされますし、反応も悪い。なので、画面の切り替わりなどの反応のいいものを作ったらどうなるのかと」

そんな岩田の動機から誕生したのは、「テレビの友チャンネル」と名付けられた新しいＷｉｉチャンネル。電子番組ガイド（ＥＧＰ）機能を、Ｗｉｉをネットにつなげていれば、どんなテレビでも無料で利用できる。地上デジタル／アナログ放送、ＢＳデジタル／アナログ放送の向こう８日間分の番組情報が３次元で表示され、日付や時間帯をクリックすれば、詳細な番組情報に辿り着く。

その操作性は、とにかく快適の一言に尽きる。

画面が切り替わるまで若干待たされる、デジタルテレビの番組表は敵じゃない。どんな最新のデジタルテレビにも、ＨＤＤレコーダーにも負けない圧倒的な早さで、快適に番組表を閲覧したり検索したりできる。番組情報の出演者を選択して検索ボタンを押せば、これまた瞬時に他に出演している番組を3次元で見せてくれる。

さらに、気になる番組に目印のスタンプを押す機能があり、自分や友達に放送開始前にメールで知らせることも可能だ。「気になるスタンプ」は随時、全国集計され、「みんなの注目度」として男女別や年齢別に番組の人気度を把握することもできる。

番組名やチャンネル名をクリックすれば、そのまま放送画面へ切り換わる。チャンネルの切り替えも、音量調節も、Ｗｉｉリモコンの十字ボタンを押せばいい。飽きたら、ホームボタンを押すと、またＷｉｉの画面に戻る。

つまり、Ｗｉｉを起点に、ゲーム画面に行ったり、テレビ放送の画面に行く仕組みが、そこに実現しているのだ。

この話はユーザーよりも、むしろメディア、特に〝テレビ村〟や家電メーカーの関係者に衝撃を与えた。テレビ自体の操作を司るユーザーインターフェースを、Ｗｉｉに握られたことになるからだ。

テレビは、あくまで家電メーカーとテレビ局のモノであり、ゲーム機は隙間を貸してもらっていたに過ぎない。しかし、ゲーム機がテレビのチャンネル選択の動機を作り、チャンネルの操作までしてしまうとなれば、主従逆転だ。

さらに言えば、テレビ本体のユーザーインターフェースは、家電メーカーが他のメーカーと差別化を図ってきた重要なポイント。快適な操作性や、見やすい表示を何十年も研究してきたプライドが、家電メーカーにはある。

だが外様のＷｉｉは、そのプライドを一瞬にして崩してしまうほどの快適さを見せつけてしまった。岩田はそのからくりを、こう説明する。

「ユーザーインターフェースの反応のスピードや、操作の快適さは、ゲーム屋が鍛えられている部分なんですね。お客さんが不愉快になったら負け、わかってもらえなかったら負けということに鍛えられてきた。僕らは、そこはわりと任天堂の強みだと思っていて、その強みがテレビ番組表に生かされると、こうなるんです」

強みが生かされているＷｉｉチャンネルは、他にもたくさんある。

どこか懐かしいピアノの旋律とともに、思い出が詰まった写真が1枚、また1枚とテレビの画面を流れるように映し出されていく。写真の下から中央へパーンしたり、引きからズームしたり。まるでドキュメンタリー番組のエンディングを見ているかのような演出は、Ｗｉｉチャンネルの1つ、写真チャンネルのスライドショー機能によるものだ。

岩田の頭には、娯楽品は生活必需品とは違い、厳しい目にさらされている、という意識が強烈に植え付けられている。

「僕らは基本的にずっと役に立たないモノを作ってきました。役に立たないモノに人は我慢しない。説明書は読まない。わからなければ全部作り手のせい。ゲームソフトも、5分触ってわからなければ、これは『クソゲー』だと言われて終わりですから」

必需品であれば、必要に迫られて説明書を読んでくれる。使い勝手が悪くとも、多少は目をつむってくれる。でもゲームの場合は、そうはいかない。楽しんでいる時に不愉快になるような要素は許されない。だから任天堂は、気持ちよく遊んでもらうための努力を20年以上、積み重ねてきた。

ゲーム人口拡大戦略に邁進する中で、伝統的なゲームという領域を飛び出し、広い範囲に踏み出した任天堂。その時初めて、「快適」を形にする地力の差が、任天堂と他業種とのあいだに歴然とあることを自覚したのだという。そして、それが任天堂の強みであることも。

「実用的だと言われているDSやWiiのソフトも、皆さん、説明書も読まずに自然と使い、遊んでいるうちに何となくにっこりとしてくださる。それって、やっぱり20年以上積み重ねてきたすごいノウハウだと思うんですよね」

そう話す岩田はまず、娯楽屋のノウハウを、脳を鍛えるソフトや、英語の学習ソフトに生かした。DS向けのソフトで成功すると、次はWii向けのソフトにも生かす。体を鍛えるフィットネスへの応用が代表例だ。さらに、ゲームソフトという枠を超え、ＤＳ向けの情報配信サービスや、Ｗｉｉの写真チャンネルなどあらゆる場所で、娯楽屋の強さが遺憾なく発揮されている。

元来、ゲームクリエイターである宮本も、違う土俵で自らの力が生きることを自覚している。

「Ｗｉｉを付けているテレビは市販のテレビより使いやすい。もう全部、テレビのコントロールをさせてくれたらいいのにって思うんですよ（笑）。家電屋さんはインターフェースという部分で何かをサボっている。でも僕らは、一番そこを真摯に考え、一番厳しい環境で戦って来ましたから」

娯楽の厳しさの中で培われた「快適さ」という武器をうまく生かす任天堂。厳しさが培った武器はもう１つある。

黒こげのゲームボーイ

米ニューヨーク、ロックフェラーセンターに入居する直営店「ニンテンドーワールドストア」。ここに、伝説のゲームボーイが展示されている。

ガラスのショーケースに収まった、黒こげのゲームボーイ。画面にはテトリスのデモ画面が映っている。左下に添えられた説明書きには「GAMEBOY DAMAGED IN GULF WAR」の文字。

1990年の湾岸戦争時に、空爆に遭った1台だ。

煤《すす》で黒く焼け、熱風でひしゃげたゲームボーイは持ち帰られ、ニンテンドーワールドストアに寄贈された。「It still works!」の説明書きの通り、今も正常に動作することを示している。

ところ変わって、世界最高峰、エベレスト。米国の若手登山家であるニール・ミューラーは、2005年6月2日、登頂に成功した後、メディアにこんな報告をしている。

「エベレストに持っていったDSとノートパソコンとMP3プレイヤーのうち、最後までタフに頑張ってくれたのは、DSだけだった。あとは風と寒さにやられて壊れたよ」

2003年3月のイラク戦争時に、クウェート北部の基地で任天堂のゲームに興じる米兵
（写真提供：AFP＝時事）

とにかく任天堂のゲーム機は数々の〝堅牢伝説〟を世界中に残している。中には、遊び半分で無茶苦茶な耐久テストを行ってしまう輩もいて、その幾つかは、「ＹｏｕＴｕｂｅ」などの動画投稿サイトで公開され、ネット上の話題となっている。

ゲームキューブ、ＰＳ２、Ｘｂｏｘにそれぞれ鉄の塊を落とし、ハンマーで殴り、２階の高さから落下させ、最後はゲームキューブだけが正常に起動する様子を映した映像。ロープで縛ったゲームキューブをクルマで引きずり回し、それでも動くことを証明する映像……。

任天堂の関係者が見たら目を覆いたくなるようなふざけた内容。そんな事態を想定して作られた商品でもないので、何の参考にもならないのだが、それでも任天堂のゲーム機が堅牢だという印象は、強烈に残る。

「たぶんうちの品質基準というのは、家電よりもだいぶ高いと思います」

宮本がこう話すように、実際、任天堂のゲーム機の耐久基準は、かなり厳しい。省スペースやデザインにこだわったＤＳ、Ｗｉｉですら、耐久性を犠牲にすることはなかった。

携帯型ゲーム機の場合、「大人の胸ポケットの位置よりも高い１・５ｍから10回落下させても、正常に動作する」という厳しい落下試験をクリアしなければ、量産のゴーサインは出ない。

岩田は言う。

「ゲーム機を自転車のカゴに入れた子供さんが急ブレーキを踏めば、カゴから落ちる。落ちる先は絨毯でも畳でもなくて、コンクリート。だからコンクリートに１・５ｍの高さから落としても壊れないようにしろと言って、ハードの開発部門は悲鳴を上げながらも、いかにクリアするかを考えるわけです」

ＤＳの場合、数十台の試作機を１００回ずつ落とし、それぞれの試作機が壊れるまでの回数を計測。成績が良い設計を選択した。通常は置いておくだけのＷｉｉも、80キログラムの重さで、1分間踏み続けても壊れないという基準をクリアできる設計になっている。

電子機器を落として壊したら、一般的には落とした人の責任だ。それでも、過剰なまでに堅牢であることにこだわるのは、「嫌な思いをさせたらお客さんに二度と振り向いてもらえない」という恐怖心があるからである。

だから任天堂のサポートも、常識外れと言えるほど手厚い。

日本より一足早く、米国でＷｉｉが発売された２００６年11月、ＹｏｕＴｕｂｅなどに次々とＷｉｉをプレイする動画が投稿された。その中でも話題を呼んだのは、「事故」を映した動画だった。

米国のオフィスでＷｉｉスポーツのテニスをプレイする若者。本来は、軽くリモコンを振る程度で難なく操作できるのだが、若者は渾身の力を込めてリモコンを振り下ろす。すると手首に巻いていたストラップとリモコンをつなぐワイヤーが切れ、リモコンは壁をめがけて飛んでいった。

同じように、振ったリモコンが手を離れ、電球や窓ガラスを割ったり、テレビ画面のガラスにヒビを入れたりする様子が、次々と投稿された。撮影をしている以上、すべてが偶発的な事故というわけではないだろう。画面上ではストラップを手首につけるよう促されているのに、あえてはめずにプレイする者もいれば、意図的にリモコンを投げ飛ばしているように見える者もいる。

それでも任天堂は、すぐに対策を講じた。

米国での発売から1カ月足らずの２００６年12月、初期出荷分のストラップを強度を上げたものに無償交換すると発表。初期出荷以降の製品には、あらかじめ強度が高いものを採用して出荷した。交換対象は全世界で約３２０万本である。

さらに任天堂は２００７年10月、今度はこんな告知をする。「より安心して商品をご利用いただくための改良を日々研究しておりますが、この度その一環として、Ｗｉｉリモコン用保護カバー『Ｗｉｉリモコンジャケット』を開発し、無償で提供することといたしましたのでお知らせいたします」――。

発表以降の出荷分については、あらかじめ同梱するが、それ以前のものについてはストラップと同様に、送料も任天堂が負担する形で提供するという告知。その対象数は、１５００万個以上にも上る。決断した岩田は言う。

「自分たちで言うのも何ですけど、任天堂みたいな社風の会社でないと、あんなことはしないですよね。僕らはお客さんの笑顔が見たくて仕事をしているのに、１０００万人に１人でも笑顔じゃなくなる方がいたら、やっぱり嫌ですから」

リモコンジャケットの開発は、発売後の反応を見て、すぐに始めた。ストラップとは違い、リモコン全体を覆うジャケットは、操作性にも影響してしまう。やはり、数十個の試作品を作っては試し、万が一、人に当たったり、投げ出されたりした場合の安全性と、操作性を両立する最適な素材、形を見出した。

開発と無償提供にかかる膨大なコストを自社で負担するという経営判断について、岩田は当たり前のように、こう話す。

「当然だと思いますね。というか、任天堂の中でそのことを議論した時に、それはコストがかかりすぎるからやめろという議論は一度も出なかったですね」

ＹｏｕＴｕｂｅで話題になってしまったから、手を打たざるを得なかったと見る向きもある。しかし、任天堂は昔から、見えないところでも過剰と思えるようなサポートを、地道に繰り返している。もともとそういう会社なのである。

兵庫県宝塚市在住のある男性の体験談だ。ある日、カバンからＤＳを取り出すと、上の画面と下の画面をつなぐヒンジ部分、その左端を覆っていたプラスチックが割れていることに気づいた。保証期間内であることを任天堂のサポートセンターに告げると、すぐに「着払いで送ってください」とのこと。

当初の見積もりだと修理期間は約２週間。修理箇所は調子の悪かったタッチパネルにも及ぶという。男性は「コストを考えると普通は交換になるところを、あえて修理するっていうのはすごい」と感心しながら待っていた。

ところが1週間ほどで新品のDSが届く。男性を驚かせたのは、そのことではない。古いDSの上部に貼ってあったシールが、新品のDSの同じ場所に綺麗に貼ってあったのだ。

当初は修理を試みたが、やはり新品に交換した方がよいと判断した任天堂のサポートセンターが、シールを丁寧に剥がし、再度貼り直したということ。おまけに、古いDSの画面に貼ってあった保護フィルムも、丁寧に剥がされ、透明な袋に入れてちゃんと送り返された。

元来、任天堂はおもちゃの会社。子供にとって自分のおもちゃとは愛着のあるモノで、新品を送り返せばよいという問題ではない。男性は、このサービスは単なる「修理」ではなく、おもちゃの会社であることに本気だという「メッセージ」だと感じたという。

シールのエピソードは、これだけではない。インターネットのブログには「子供が貼ったシールがそのまま新品について送られてきた」という写真付きの報告が数多あり、ネット上では感動を呼ぶエピソードとして話題になっている。

今や世界中のユーザーに、「任天堂製品は壊れない」「壊れても安心だ」という共通認識が広がっている。

しかし、任天堂はそうした名声を得たいがために、意図してやったわけではない。

ただ、任天堂が自分たちは生活必需品ではなく、役に立たないモノを作る娯楽屋だからこそ、ネガティブな要素を徹底して排除しなければ将来はないと考え、お客に対してひたすら、丁寧に振る舞ってきた結果でしかない。

言い換えれば、お客に気持ちよく遊んでもらえなければ、すぐにそっぽを向かれてしまう娯楽屋であることの宿命を真摯に受け止め、愚直に「役に立たないモノ」を作り続けたことが、結果として「強さ」や「名声」を生んだのである。

ゲームボーイやゲーム&ウオッチを開発した横井軍平という人物が、任天堂で活躍していた頃から、ずっと――。

第5章

ゲーム&ウオッチに宿る原点

「本来、娯楽って枯れた技術を上手に使って
人が驚けばいいわけです。
別に最先端かどうかが問題ではなくて、
人が驚くかどうかが問題なのだから」

……岩田

蘇る「枯れた技術の水平思考」

部屋の中で拳銃を撃ち合っている子供。銃口から放たれたレーザービームのような光線が鏡に反射してライオンの額に命中。ライオンが「ガオーガオー」と派手にがなり立てる。

そのCMは当時、多くの子供たちの心を躍らせ、物欲を刺激した。1970年に任天堂から発売された「光線銃SP」のCMだ。

価格は4780円。当時としてはかなり高価なおもちゃだったが、クリスマスや誕生日のプレゼントの定番となるほど流行り、任天堂を代表するヒット商品となった。

この商品を作ったのは、任天堂のアイデア玩具の開発を一手に引き受けていた開発課（後の開発第一部）の初代トップ、横井軍平である。

時は過ぎ、三十数年の月日を経て、同じ会社からDSとWiiというヒット商品が生まれた。岩田は、この2つの商品と光線銃を重ねて話す。

「昔の商品で一番相通ずるのは、やっぱり横井さんがやっていた商品になるんですかね。例えば『光線銃』の技術というのは、最先端じゃない。けれども、太陽電池をセンサーにするという、とんでもないアイデアなわけですよ。電源じゃなくてセンサーにするために、ちょうどいいものだったから使った。そうしたことに代表されるようなことが、任天堂DNAの1つなんだと思います」

弾は出ないし、CMのようなレーザービームが実際に出るわけでもない。なのに、正確に照準が合った時だけ標的が反応する。光線銃は、駄菓子屋で売っているような「銀弾鉄砲」で遊んでいた子供にとって、ハイテクなイメージを強烈に与える「エレクトロニクス玩具」だった。

だが、仕組みは至って単純だ。

拳銃やライフルの銃口には豆電球が仕込んであり、引き金を引くとバネの力で、シャッターが開く。一方、標的側には光を検知するセンサーが仕込んであり、わずかな光が届くとシカケが動く仕組み。

豆電球は銃口のやや奥まったところにあるため、銃口を標的にまっすぐ向けないと光はセンサーに届かず、当たりの判定は出ない。横井はこのセンサーに、光が当たると電流が発生する「ソーラーパネル」、いわゆる太陽電池を採用した。そこが光線銃のミソだ。

太陽電池は通常、発電に用いる。だが横井は、シャープの営業担当者が持ち込んだ太陽電池にわずかな光量の変化も見逃さない特性があることを知ると、当たり判定用のセンサーとして利用するという奇抜なアイデアを思いつき、玩具に応用した。

豆電球と太陽電池を誰もが考えつかないような遊び道具に変え、驚きや喜びを演出する。それが、横井の真骨頂だ。1980年に発売されたゲーム&ウオッチもそうだった。

家電メーカーは1970年代、熾烈な「電卓戦争」を繰り広げた。オフィスから家庭へ。そして、1人1台へ。口火を切ったのはカシオが1972年に発売した《カシオミニ》だ。

カシオミニは電卓を手掛ける家電各社に、大きな衝撃を与えた。サイズは当時の主流の電卓の4分の1以下、価格も3分の1を下回る1万2800円に抑えられたからだ。発売10カ月で100万台を突破、累計1000万台を販売する爆発的なヒット商品となり、小型・薄型化競争と価格競争の流れを決定づける。

その後、市場からは多くのメーカーが撤退、カシオは残ったシャープなどと、しのぎを削った。1983年、カシオが太陽電池式で厚さわずか0・8ミリの電卓を発売すると、戦争に事実上の終止符が打たれる。

この間、計算用の小型集積回路「LSI」や、決められた液晶区画の組み合わせで数字などの単純な表示を行うセグメント方式の液晶ディスプレイの製造技術は成熟し、製造コストも大幅に下がった。

横井はこれらの「枯れた技術」を、ゲーム&ウオッチに応用したのだ。

至って単純な技術を用いて、誰も考えつかない驚きや喜びを演出した横井。光線銃、ゲーム＆ウオッチなどのヒット商品を生んだ横井の哲学は、Wii リモコンへとつながった（写真提供：山田哲也）

ゲーム&ウオッチ誕生のきっかけは、横井が出張中の新幹線で、サラリーマンが退屈しのぎに電卓で遊んでいるのを見かけたことだった。

「手のひらで隠せる電卓に似たサイズで、サラリーマンがさりげなく暇つぶしで遊べるようなゲーム機は作れないものか」。そんなひらめきを、横井が、たまたま当時の社長、山内と車に乗り合わせた時に言ってみたら、トントン拍子で話が進んだ。

1980年に産声を上げたシリーズ最初のゲームは《ボール》。画面上に映し出された2つの手をお手玉遊びのように動かして球を落とさないようにする単純な内容で、両手で隠せるほどの小さな本体にボタンが2つ付いただけのシンプルなゲーム機だ。5800円という当時の電卓並みの価格設定も手伝って、瞬く間に人気を博した。

ゲーム&ウオッチはカートリッジ式のDSとは違い、ソフトを入れ替えることはできない。横井は好機を逃すまいと、次々と違った種類のゲームソフトを考案してはシリーズ商品を投入、それらも面白いように売れた。1980年から8年間で約70種類のシリーズ商品が発売され、累計販売台数は4800万台を超えている。

この爆発的なヒット商品こそ、横井が残した名言「枯れた技術の水平思考」のお手本のような例である。つまり、電卓を構成する成熟した部品や技術を利用するものの、まったく違う目的や使い道の娯楽商品を作るということだ。

冒頭の光線銃で言えば、豆電球と太陽電池という枯れた技術を使い、豆電球を照明用ではなく

「弾」代わりに、太陽電池を発電用ではなく「センサー」代わりに利用して、驚きのおもちゃを作った。

枯れた技術を思わぬ形で転用するからこそ、子供がプレゼントで買ってもらえるような価格で、世間に驚きを与える斬新な商品を提供できる。この持論を、横井は大切にした。そして、横井流の哲学は、時を経て新しい任天堂に引き継がれたのである。

Ｗｉｉ最大の特徴を決定づけている斬新なコントローラー、Ｗｉｉリモコンにも任天堂ならではのアイデアと工夫が詰まっている。

Ｗｉｉリモコンの先端には、デジタルカメラや携帯電話のカメラ部品に使われる「ＣＭＯＳイメージセンサー」が仕込まれている。片や、テレビ画面の上部か下部に横向きに設置する「センサーバー」の中には、テレビのリモコンなどから信号を発信するために使われる「赤外線ＬＥＤ」が左右に仕込まれている。どちらの部品も、東京・秋葉原などで簡単に手に入る枯れた技術。世界中で大量生産、大量消費されているので、コストも安い。ＬＥＤは1個数十円だ。

では、ポインタ機能を実現する原理はと言うと、これまた単純である。Ｗｉｉリモコン先端のＣＭＯＳイメージセンサーが、センサーバーから発せられる左右2点の光のみを認識。その位置情報を随時、無線で本体に送信する。この情報をもとに本体はリモコンの先がテレビのどこを指しているかを計算して、画面に反映させるというわけだ。

実は、テレビの付近で左右に一定間隔離れて固定された赤外光を発する2つの光さえあれば、センサーバーがなくとも遊ぶことができる。実際、数百円の材料費でセンサーバーを自作したり、2本のろうそくをテレビの前に立ててゲームをプレイしたりする映像を、インターネットに公開するファンも存在する。

つまり、映像を撮影するカメラ部品を位置情報を把握するセンサーとして利用し、信号を発信する部品を単なる印として利用する、という水平思考がここにはあるのだ。

前述したテレビリモコンになるＷｉｉリモコンの仕組みにも、横井の哲学が生きている。

Ｗｉｉチャンネルの1つ、テレビの友チャンネルでは、チャンネル操作や音量操作なども、Ｗｉｉリモコンで行うことができる。

テレビのリモコンの先端には赤外線ＬＥＤが付いており、ここからテレビを操作する信号を発している。しかし、Ｗｉｉリモコンには赤外線ＬＥＤは備わっていない。

Ｗｉｉ本体はテレビとアナログ映像出力で接続されており、そのケーブルは映像と音声を、単にテレビに送っているだけ。ＡＶ家電の制御ができる「ＨＤＭＩ連動」機能を備えているわけでもなく、ケーブルを通じて操作しているわけでもない。ではなぜ、Ｗｉｉリモコンでテレビそのものの操作が可能なのか。

答えは赤外線ＬＥＤを仕込んだセンサーバーにある。

テレビ本体のチャンネル操作をする時だけ、このセンサーバーからテレビを制御する赤外線信号を放ち、壁などに反射させて、テレビのリモコン受光部に送っている。普段はＷｉｉリモコンがどこを指しているのかを把握するために使う印を、水平思考でテレビリモコンに変えてしまうという〝裏技〟が行われているのだ。

現代に蘇る、枯れた技術の水平思考。

「本来、娯楽って枯れた技術を上手に使って人が驚けばいいわけです。別に最先端かどうかが問題ではなくて、人が驚くかどうかが問題なのだから」

こう語る岩田は、Ｗｉｉの細かな機能だけではなく、Ｗｉｉ全体の設計思想に至るまで、横井流の哲学を取り入れた。

高精細の映像美を競うことをやめ、あえて一世代前の描画性能を選択したＷｉｉ。ライバル機のＰＳ３とＸｂｏｘ３６０はハイビジョン放送並みの「ＨＤ」画質であるのに対し、Ｗｉｉの映像は前世代のゲームキューブやＰＳ２と同じ、ＤＶＤ並みの「ＳＤ」画質だ。

しかし任天堂は、Ｗｉｉの描画性能を低くしてＣＰＵなどの開発にかかる労力やコストを抑え、その分、斬新な直感操作を実現するコントローラーやネットを利用した本体機能の開発に注力し、ライバル機とは一線を画する奇抜な商品に仕立て上げた。

結果はと言うと、発売から2年経過した段階では、Ｗｉｉの圧勝だ。

DSでも同じことが言える。解像度は、横256×縦192ドットとワンセグ放送の解像度よりも粗い。対するライバル機のPSPは、横480×縦272ドット。単純計算でDSの2・7倍の精細さがある。その代わりDSは、PDA（携帯情報端末）向けに使われていた枯れた技術、タッチパネル式のディスプレイを採用し、水平思考でゲーム用途に転用することで、驚きを演出した。

何も、最先端の技術を尽くした豪奢な映像美や音楽だけが、人の驚きを生むわけではない。枯れた技術でも、頭をひねって考えれば人が驚くような面白い玩具を作ることができる。

DSやWiiは、任天堂の「原点」とも言うべき哲学に立ち戻った結果の商品なのである。その原点を作った張本人、横井という人物が任天堂に残した功績は、筆舌に尽くせぬほど大きい。

遊びの天才、横井軍平

米軍が北ベトナムの空爆を開始し、米ソ対立による陰鬱な冷戦構造に世界が巻き込まれた1965（昭和40）年、1人の脳天気な青年が大学を卒業し、任天堂に入社した。23歳の横井である。

横井が入社した時代は、花札の任天堂から、トランプの任天堂へと代名詞が移り変わっていた頃。1953年、プラスチック製のトランプを日本で初めて製造し、大ヒット。1959年には、ディズニーと交渉して「ディズニートランプ」を発売、これも空前の大ヒットとなる。

トランプで一山築いた任天堂は1962年、株式を大阪証券取引所に公開。上場で得た資金を元手に経営の多角化を模索していたが、これといったビジネスはまだ育っていなかった。

同志社大学工学部電子工学科で学んだ横井が希望した就職先は、エレクトロニクスの知識を生かせる大手家電メーカー。ところが、ことごとく不採用となる。

当時の任天堂にはエレクトロニクスの「エ」の字もなかったが、地元企業ということで何となく受けてみたら、唯一、採用してくれたという縁で、入社することとなった。任天堂が採用した理工系新卒の第1号である。

この時、自身が後に任天堂の歴史を変えることになるなど、本人は知る由もない。


電子工学出身という理由で、カードを製造する工場設備の保守点検という業務が、横井に与えられていた。とにかく暇だったが、暇なりに自分で時間を潰して楽しめるタイプなので、鬱憤がたまることなく、日々を過ごした。

ある日横井は、暇つぶしに工場の旋盤を借りて、格子状に組んだ骨組みが伸縮するおもちゃを作り、遊んでいた。それを見かけた前社長の山内は、横井を社長室に呼びつける。本気で怒られると思いドキドキしていた横井に、山内はこう言った。

「任天堂はゲームメーカーなのだから、ゲームにして商品化しろ」

こうして、遠くのモノを掴み、手元に引き寄せて遊ぶ玩具が生まれ、横井が入社した翌年の1966年、「ウルトラハンド」として発売された。

自称「学問的落ちこぼれ」の横井の気まぐれと山内の一言が生んだ偶然の産物は、100万個を超える大ヒットに。これを機に横井は任天堂初の「開発課」を与えられて保守業務から解放、アイデア玩具の開発に精を出すことになる。

開発課による第1号の商品、部屋の中で遊べる小さなバッティングマシン「ウルトラマシン」もヒットする。その翌年の1969年に発売した「ラブテスター」は、異彩を放っていた。

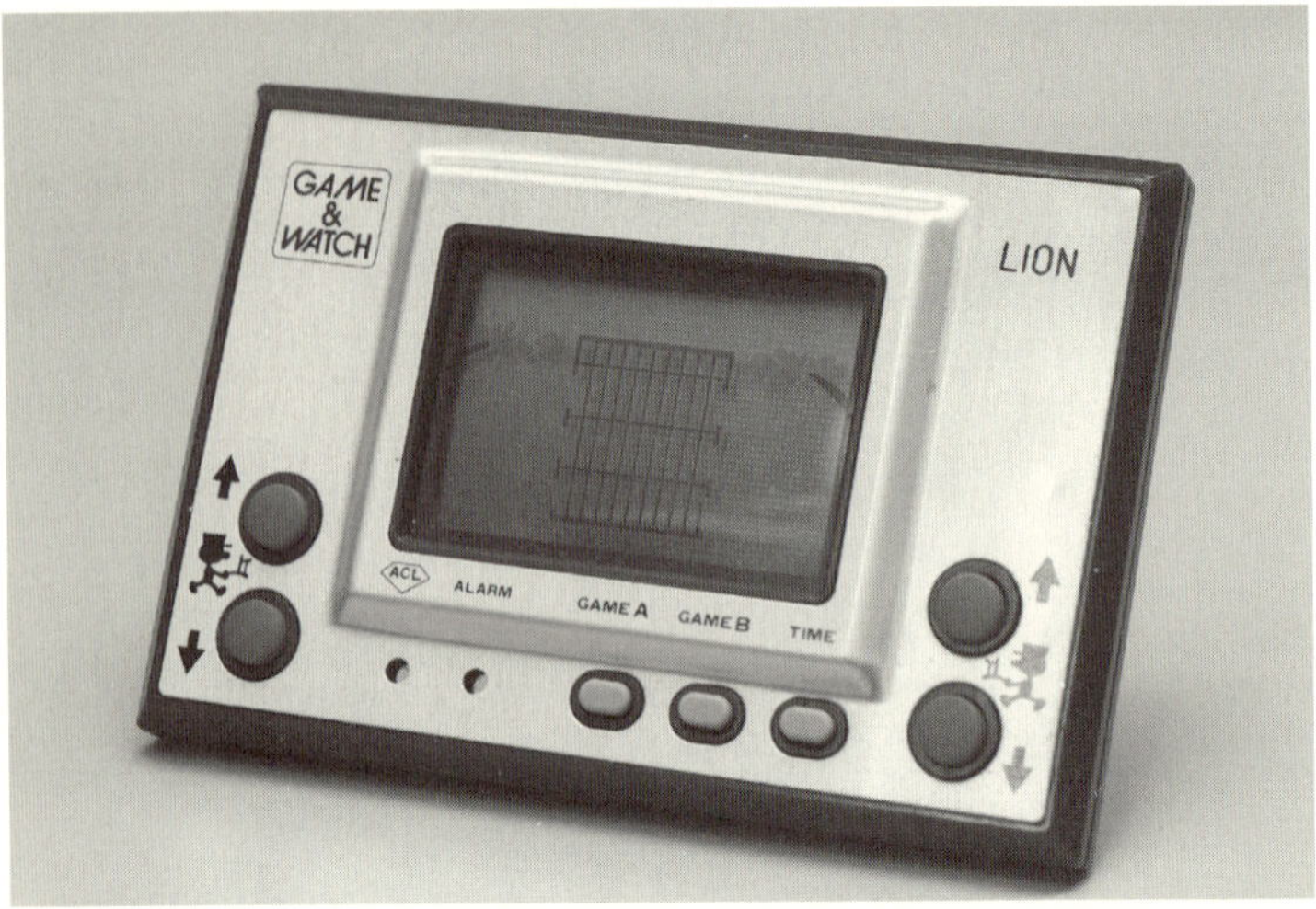

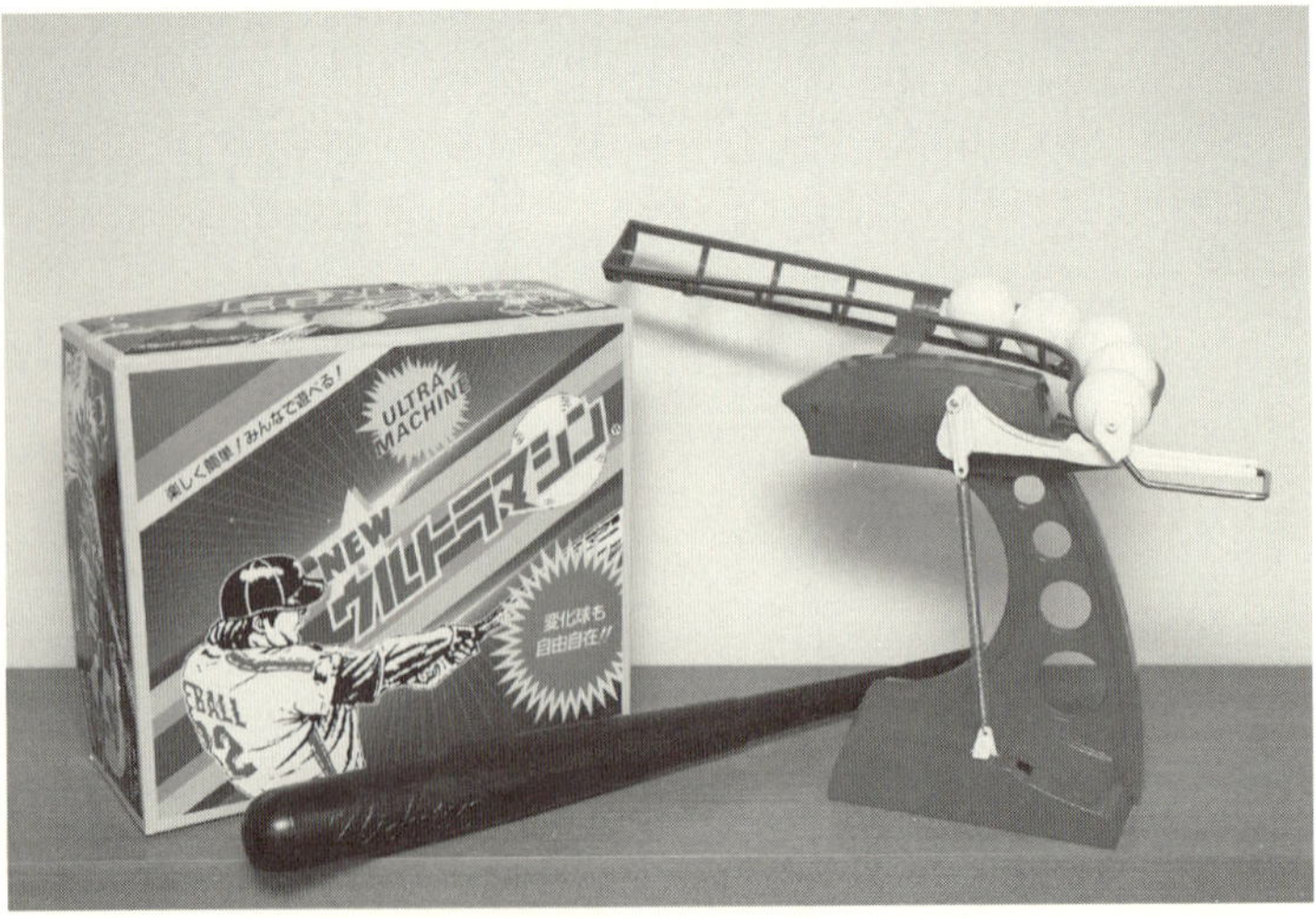

写真上がゲーム＆ウオッチ。新幹線の中でサラリーマンが退屈しのぎに電卓で遊んでいるのをヒントに生まれ、累計4,800万台を超えるヒットに。下がウルトラマシン（写真提供：山田哲也）

ラブテスターは男女の愛情を測るというふれこみの玩具。測りたい男女は手をつなぎ、空いた手でそれぞれ電極を握る。2人の相性に応じて、メーターが振れるという玩具。

横井は唯一の著作『横井軍平ゲーム館』（横井軍平著、牧野武文インタビュー・構成、アスキー刊）で、こんな告白をしている。

私は電子工学専攻ですから、一応電子的なものをやらないと格好がつかないなと思ったけど、あまり難しいことはできないんでね。たまたま、テスターの抵抗レンジで遊んでいると、どうも人間の体を電気が流れているらしい。これを女の子の手を握る手段として使えないか、というのがラブテスターの発想です。（中略）私自身もラブテスターを使って、ずいぶん女性の手を握りましたよ。まぁ、そのうちそんなんじゃ物足りなくなってきましたけど（笑）。

学生時代に社交ダンスにはまり、音楽をやって、外車も乗り回し、夏はダイビングに明け暮れ、プレイボーイとして名を馳せていた、横井らしい告白である。

面白くなければ玩具ではない。ラブテスターは、横井の遊び心が凝縮されたような商品だった。同時にラブテスターは、「枯れた技術の水平思考」という哲学が確立するエポックメイキングなエレクトロニクス玩具でもある。

ラブテスターの実態は、物体に流れる電流を測る、単なる検流計。当時でも日曜大工用品店などに行けばどこにでも売っている代物、まさに枯れた技術だ。

この道具を水平思考で「男女の愛情を測る機械」に仕立て上げた。

ただし、根拠のないおふざけ商品ではない。横井の理論によると、愛情がある男女が手をつなげば、緊張して手に汗をかき、電気抵抗が低くなる。そのままキスをすれば、唾液を通して電流はさらに流れるので、愛情メーターもより高く振れるという。

これを機に横井は、エレクトロニクス玩具の開発に執心、前述の光線銃やゲーム&ウオッチといった任天堂を代表する商品へとつながっていく。


ちなみに任天堂の名を世界に轟かせたファミコンは横井によるものではない。シャープから任天堂に転職した上村雅之によるものだ。

1979年、山内から新設部署の開発第二部を与えられた上村は、1982年秋頃からファミコンの開発を本格化させた。この時、横井はゲーム&ウオッチの続編の開発で大わらわだった。

ただし、横井が敷いたエレクトロニクス玩具の下地がなければ、ファミコンの開発もなかっただろうし、ゲーム&ウオッチのヒットがなければファミコンを開発する原資も出なかった。その意味で、横井はファミコンにも大きな貢献をしたと言える。

人事面での貢献もあった。

ファミコンの爆発的なヒットに火をつけたのは、宮本がキャラクターを描いたマリオブラザーズというソフト。宮本を開発部門に誘い、入社4年目に初めてゲーム作りに携わるきっかけを与えたのは、他でもない横井である。

宮本のゲームクリエイターとしてのデビュー作、業務用ゲーム機のドンキーコングはゲーム&ウオッチのシリーズ作として横井が開発を進めていたゲーム、ポパイが原型だ。

横井は「一緒にゲーム&ウオッチでポパイを作らないか」と宮本を誘い開発していたが、急遽、ポパイのアイデアを業務用に移植することになった。だが版権の問題でポパイが使えなくなったことは、前述した通り。

「宮本君、何か、キャラクターを考えてみたら」

そう横井が宮本に声をかけ、宿敵ドンキーコングに立ち向かう不朽のマリオが誕生した。

その後、米国で発売され、人気を博したドンキーコングは、1982年、2画面のマルチスクリーンとなったゲーム&ウオッチに移植され、発売された。横井はこのシリーズ最大のヒット作となった機種で、縦横操作を可能にする「十字キー」を考案し、世界で初めて搭載した。

これも、ファミコンのヒットに貢献している。

当時のゲーム機のコントローラーと言えば、丸か四角のボタンと、方向操作に使う棒状の「ジョイスティック」くらい。横井は、ゲーム&ウオッチに何とかジョイスティックの操作性を持ちこもうと試行錯誤した末、薄くて耐久性にも優れた十字キーに辿り着いた。

言うまでもなく、ファミコンで採用された十字キーは、これが原点。本体のレバーを押すとゲームのROMカセットがポンと飛び出るイジェクトの機構も、横井のアイデアによるものであり、ハードの側面でも横井は多大な貢献をしているのだ。

横井がいなければ、ファミコンの成功はなかったと言っても過言ではない。

横井の貢献はこれらにとどまらない。据え置き型ゲーム機の市場をソニーに奪われるという、任天堂の不遇の時代を支えた、携帯型ゲーム機の開発である。

ローテクで勝ったゲームボーイ

ゲーム&ウオッチ人気の爆発で隆盛を誇った横井率いる開発第一部はその後、ファミコンをヒットさせた開発第二部が肥大化するのと反比例するように、勢いを失っていく。

1983年に発売されたファミコンは、マリオシリーズなどの人気ソフトとともに家庭用のビデオゲーム機市場を創り、席巻した。ファミコンというプラットフォームの上で動くゲームソフトを外部のソフトメーカーが作り、そのソフトの流通を任天堂が一元的に管理して口銭を得るというビジネスモデルは、任天堂に莫大な収益をもたらす。

一方、ゲーム&ウオッチ人気が収束し、シリーズ続編の開発も一段落した開発第一部は、光線銃にヒントを得た射撃ゲーム《ワイルドガンマン》や、ゲーム画面に連動してロボットにブロックやコマの操作をさせる《ファミリーコンピュータロボット》といった独創的なファミコン向けソフトを開発する。

だが、大きなヒットにはつながらず、かつての最大勢力は社内での存在感を弱めていった。

それでも横井は、開発の歩を止めることはなかった。ゲーム&ウオッチのマルチソフト対応という大仕事が待っていたからだ。ファミコンのようにカセットを入れ替えて、様々なゲームを楽しむことができる携帯型ゲーム機ゲームボーイの開発である。

ゲームボーイの開発を本格化させた1980年代後半は、既に小型のカラー液晶の量産が始まっており、ポケットサイズのカラー液晶テレビも市場に出回っていた。技術的には、カラー液晶が付いた持ち運べるファミコンを作ることも可能だ。だが横井は、当初からカラー液晶にはまったく興味を示さず、「枯れた技術」であるモノクロ液晶を使うと決めていた。

横井が作りたかったのは、あくまでソフトが交換できるゲーム＆ウオッチ。小型・軽量で、電池の持ちが良く、頑丈で、太陽光の下でも遊べるという特徴を引き継ぎたかった。

カラー液晶は、自然光などの反射ではなく、背面から照らすバックライトの光がなければ見ることができない。その分、大型になり、電池の消耗も激しい。バックライトを付けたとしても、太陽光の下で十分な視認性を確保することは難しい。何よりコストがまったく見合わない。

横井には、ファミコンの1万4800円を下回る販売価格でなければ、お客さんは振り向いてくれないという確信があった。目指したのは、ファミコンと同程度の処理性能。中身はファミコン並み。それに液晶ディスプレイを付けるのだから、そもそもコストは高くつく。

しかし、ポケットに入る小さな玩具に、お客がファミコン以上のお金を払うかというと、世間はそうは甘くない。まだ高価だったカラー液晶は、コスト面から考えても、選択肢には成り得なかった。

社長の山内からも、「カラーは電池がもたない、屋外で見にくい、高い」と、モノクロ液晶でいくことの了承を取り付け、だいたいの仕様もすぐに固まった。

だが、それでもコストの壁は厳しかった。

何をどうやっても、ファミコン以下という目標のコストに収まらない。特に、横160ドット×縦144ドットの表示を可能にする液晶ディスプレイの価格が、モノクロであっても足かせになった。ゲーム&ウオッチの時からの付き合いで液晶の調達はシャープと話をしていたが、その価格が折り合わないのだ。

停滞するゲームボーイの開発。その頃、社内は、大幅に性能を向上させたポスト・ファミコンの開発に突き進んでいた。

ファミコン人気で我が世の春を謳歌していた任天堂も、1980年代後半になると安穏としてはいられなくなる。1987年、NECホームエレクトロニクスが《PCエンジン》を、セガ・エンタープライゼスも翌1988年に《メガドライブ》を発売し、据え置き型のゲーム機戦争が始まっていた。

こうした動きを察知した山内は既に、開発第二部に対してファミコン後継機の開発を命じており、スーパーファミコンの存在はPCエンジンの発売直後、地元紙の報道で明らかになる。

当初1989年の発売を予定していたが、開発の遅れで発売延期を繰り返し、1990年11月、宮本らによる《スーパーマリオワールド》などのソフトと同時に、市場に投入された。

PCエンジン、メガドライブ、スーパーファミコンともに、CPUの処理速度はファミコンの2倍、16ビットとなり、再現できる色数や音色が大幅に向上したことから、「16ビット戦争」とも呼ばれた。

結局は、スーパーファミコンの発売延期が逆にユーザーの飢餓感を煽り、ブランド力に勝る任天堂の圧勝に終わったのだが、この16ビット戦争を傍目に見ていた横井は、時代錯誤と揶揄されようが、決してローテク路線を諦めることはなかった。

横井ら開発第一部に転機が訪れたのは、シチズン製の携帯型液晶テレビを分解してからだ。液晶の背面に直接、電子回路を焼き付ける「チップオングラス」という技術が使われていた。製造工程が簡素化されるため、コストを大幅に抑えることができる。横井らは、シチズン本社に何度も乗り込んでは交渉を重ね、ようやく製品化のメドが立った。

ところが、いよいよシチズンの面々に任天堂本社へ来てもらい、最後の詰めを行ったその日のこと。シチズンの面々を見送る横井らは、それまで液晶の価格で折り合わなかったシャープの面々が社長室に入っていくのを見かけた。そこへ合流した横井は、開発第一部へ戻って来ると、こう言ったという。

「シャープさんがシチズンと同じ値段でやると言うから、やっぱりシャープでいく」

何が起きたのか、開発第一部のメンバーにはよく飲み込めなかったが、ともかく、コストの問題はクリアでき、横井はシャープにゴーサインを出した。「横井さんは、ゲーム&ウオッチの時に協力してくれたシャープに、恩義を感じていたんじゃないかな」。当時、周囲にいた関係者は、そう話す。

既に世界の任天堂となっている会社の部長から承諾を得たシャープは、約40億円を投じて生産設備の増強に入った。ところが、これが後に、横井に「人生最大の失敗」と言わしめるトラブルに発展することになる。

横井は、電卓やゲーム&ウオッチと同じ「TN液晶」というモノクロ液晶を採用する前提で、ゴーサインを出していた。斜め下から画面を覗き込む状態で最も見やすい種類の液晶だ。ゲーム&ウオッチも、それで問題はなかった。

試作が完成し、満を持して山内に見せに行った時のことを、横井は前掲の著書でこう振り返っている。

あるとき社長が試作品を見たら、「なんだこれ。見えへんやないか」と。確かに真正面から見ると画面がよく見えないのですね。社長は「どうすんや、これ。こんな見えへんの売れへんぞ。もう、売るのやめや」と。がく然となりました。

ゲームボーイの筐体は縦長の形をしており、画面は持つ手よりやや上方に来る。ゲーム&ウオッチのように斜め下から覗き込むと太陽光や室内灯が映り込むため、自然と画面を目線と垂直に向けるようになる。すると、コントラストが悪くなり画面が見えづらくなるという欠点に、横井は気づかなかった。

製造中止の通達――。シャープは既に約40億円を投資して生産体制を築いているだけに、横井は責任の重さに打ち震えた。

シャープの担当者に相談したところ、運良く新型の「STN液晶」を紹介され、望みはつながる。ただ、確かに垂直に画面を見た時のコントラストは良いが、画面の動きが速くなると、残像で見にくくなってしまう弱点もある。だが、これを試すしか道は残されていない。横井は藁をも掴むような気持ちで、試作の提供を求めた。

ハイテク全盛のゲーム機市場、社内からも懐疑的な意見が出る中、あえてローテク路線の我を通し、勝負を賭けた。それが、自分のミスでお蔵入りになるかもしれない。一緒にやってきたシャープにも多大な迷惑がかかる。そこからの半月、横井は食事も喉を通らないほど、意気消沈したと言う。

しかし、横井の熱意は、シャープの技術陣の心を動かした。表示スピードを上げても残像が気にならず、且つコントラストも良い最適なバランスに、STN液晶を調整してくれたのだ。

急いで山内のもとへ試作品を届けて見せると、山内はあっけないくらいに「これならいい」と言う。1989年4月、ファミコンより2000円安い1万2800円という価格でのゲームボーイ発売に、無事こぎ着けることができた。

ゲームボーイはメディアなど外部からも、先進的だと評価されることはなかった。画面は4階調のモノクロ液晶、電源は乾電池4本。音色もファミコンのようなピコピコ音で、スピーカー出力はモノラルである。それでも横井は、ゲームボーイに絶対的な自信があった。任天堂で培った哲学を、凝縮したような1品だったからだ。

画面の見やすさは、絶望の淵に立たされたことが逆に奏功して、劇的に改善した。駆動時間はアルカリ乾電池4本で約35時間、1日2時間遊んでも2週間以上持つ。

子供が落とすことを想定して頑丈にも作った。試作機を山内に見せた時、カーペットが敷かれた床に投げつけられてもびくともしなかったほどだ。

時間と場所を気にすることなく、ファミコンのように様々なゲームソフトを入れ替えて遊ぶことができ、ケーブルをつなげば公園などで友達と対戦もできるゲームボーイは、子供にとってそれだけで面白い。だから、画像の描画能力で勝る競合商品が出ても、ものともしなかった。

「君のは白黒なの?」。1990年10月、セガ・エンタープライゼスは、そんな挑戦的なテレビCMとともにカラー液晶を搭載した携帯型ゲーム機《ゲームギア》を発売する。色数は、ファミコンより多い、4096色。オプション品を買えばテレビを視聴できることも売りだった。

ところが結果は、セガ・エンタープライゼスの惨敗。ゲームギアはアルカリ乾電池6本を使っても、2~3時間ほどで電池切れになる。屋外での視認性も悪く、そもそも弁当箱ほどの大きさで、電池を含めると500グラムを超える重量級のゲーム機を持ち運ぼうとする者はいなかった。

他方ゲームボーイは、パズルゲームテトリスやポケモンシリーズなどの大ヒットソフトを味方につけて、世界の津々浦々まで浸透する。発売から12年目の2000年、世界での累計販売台数は1億台を突破した。


色数や画質、音色は、ゲーム機の面白さを生む要素ではない——。

そんな信念が、大きな勝ち星を呼んだゲームボーイ。

横井は、この開発が終わり、社内ではロクヨンの開発が始まってからも、自らの信念を曲げることはなかった。岩田よりも宮本よりも先に「ゲームの危機」に気づき、行動を起こしていたのである。

最先端に背を向ける

大きな双眼鏡のような機械を覗き込むと、眼前には真っ暗な世界に、赤色の線や点で描かれた立体の映像が広がる。三次元の奥行きがあるピンボールの台や、マリオの舞台。そこで、自分が操作する球やキャラクターが、あたかも自分に迫ったり遠ざかったりするように動き、見る者を驚かせる。

1995年、任天堂は3Dゲーム機《バーチャルボーイ》を発売した。開発したのは、横井率いる開発第一部。横井が任天堂で手掛けた最後のオリジナル商品である。

史上初の3Dゲーム機という、横井らしい商品。それは、傍らで繰り広げられていたゲーム機の性能競争に対する、強烈なアンチテーゼでもあった。

16ビット戦争をスーパーファミコンが制し、優勝劣敗が明確になった1990年の半ば、据え置き型ゲーム機の主戦場は、倍の32ビットへ移行した。その最右翼が、SCEが1995年に出したPSである。

前述の通り、任天堂はPSに対抗すべく、スーパーコンピュータ並みの映像処理能力を持つ、64ビットのロクヨンを1996年に投入する。その頃、横井がやっていた仕事は、やはりモノクロのゲーム機を開発することだった。

当時、航空整備の現場や軍隊などへの普及が徐々に始まっていた米リフレクション・テクノロジー社の「ヘッドマウントディプレイ」。バーチャルボーイ開発のきっかけは、これが任天堂に持ち込まれたことだった。

片方の目で航空機の整備マニュアルや戦時下の作戦を閲覧し、もう片方の目で航空機や戦場を見つめる。眼鏡の片側だけに小さな装置が付いたこの製品は、ディスプレイと現実世界の風景を同時に見なければならない場面を想定して開発されたもの。ディスプレイの映像は、装置の内部で横一列に並んだ極小の赤色LEDが、点滅しながら上下に走査することで映し出される。

横井はこの技術を、3Dゲーム機に応用しようと考えた。赤色LEDによる映像投射装置を、左右に2つ並べ、映像を同時に映す。すると、右目と左目の視差により、立体的な世界が眼前に広がるという仕組みだ。

色数や階調は、ゲームボーイと同じ1色、4階調。解像度は横384×縦224ドットと、ファミコンより多少良い程度。だから、画期的な商品の割には1万5000円という手頃な価格に落ち着かせることができた。

この商品にこだわったのには、理由がある。前掲の著書で、横井はこう述懐している。

テレビゲームにはアイデア不足の逃げ道があった。それがCPU競争であり、色競争なんです。そうなると、任天堂のようなゲームの本質を作る会社ではなくて、いずれ画面作り、CG作りが得意なところがのしてくるだろうと。そうしたら、任天堂の立場はなくなってしまうんですね。それで、何かもう一度ゲームの本質から戻ったものができないかということで、「バーチャルボーイ」を作ったわけです。

8ビットから16ビット、16ビットから32ビット……。よりリアルに近づく映像と音声。ゲーム機はマニアの心をくすぐる方向へ向かい、一般人は置き去りにされている。

この状況は、横井にとって、「小手先の改良」としか映らなかった。

同じ路線を行く限りは任天堂には将来がない。岩田が2002年に社長となってから強烈に抱いた危機感を、横井は1995年の段階で感じ、行動に移した。それが、バーチャルボーイなのである。

結果として、残念ながらバーチャルボーイは、高精細なグラフィックス、迫力のあるサウンドを求めるゲームマニアから見向きもされず、声の大きなマニアたちによって酷評され、静かに姿を消した。赤色単色であっても、実際に体験すれば相当に驚きのある世界が広がるのだが、立体の驚きを平面のテレビや雑誌で再現できなかったり、試遊機を置いても体験する本人以外には画面が見えなかったりと、宣伝活動の場で面白さを伝え切れないことも、普及の阻害要因だった。

横井が任天堂で手掛けた最後のオリジナル商品で、1995年に発売された3Dゲーム機《バーチャルボーイ》。性能よりも「面白さ」や「驚き」を追求するという思いは、岩田や宮本らの新しい経営陣に継がれた（写真提供：時事通信社）

国内では15万台程度、世界でも120万台程度と、任天堂のゲーム機としては最も低調に終わったバーチャルボーイ。だが、任天堂における存在感は、実績に反して大きい。

1995年、ゲーム雑誌『じゅげむ』の創刊号で横井は、こう語っている。

テレビの画面にどんなにすごい映像を表示したところで、人は驚いてはくれませんよね。だけど、立体視で「奥行き表現」が可能になると、毎日のようにいろんな新しい発見があります。

岩田や宮本は、技術のロードマップに沿ったゲーム機の単調な進化に危機感を覚え、ゲーム本来の面白さと驚きを追求したDSとWiiを作った。横井の思いは10年の時を経て、岩田や宮本という新しい経営陣に継がれたのだ。横井を今でも「師匠です」と仰ぐ宮本は語る。

「何かの部品を見てそれがどんな商品になるのかをずっと考えるみたいな、昔、横井さんがやっていたようなことが、基本的にうちの社風として残っていた。今の先端を行くことだけが答えではないという意識を、もともと常に持っていたんですね。けれども、自ら先端を捨てることへの恐怖感があったり、ゲーム雑誌やゲームショウで先端の流れを見せつけられると、不安になることもある。だけど原点に返って話をすると、ああ、先端を行かない方が任天堂らしいなみたいな文化になっているんです」

横井による面白さと驚きの演出は、ハードだけに負っているわけではない。横井は約70種類に及ぶゲーム&ウオッチのほぼすべてのゲームソフトに関して、考案したり、手を加えたりと関わっている。

横井は、ゲームボーイのソフトも、何本も作った。

「面白いソフトをひたむきに考える時の横井さんの集中力は、とにかく凄まじかった」と、当時の部下だった瀧良博は言う。例えば横井は、《ドクターマリオ》というパズルゲームのヒット作を生んだ。きっかけは、ロシア人が考案したパズルゲーム、テトリスのブームだ。

スーパーマリオブラザーズのようなスクロール型のゲーム、あるいは《ドラゴンクエスト》のようなRPGがファミコンで全盛だった頃に、テトリスは登場した。上から落ちて来る様々な形のブロックを、ただ整然と積み上げて消すという単純なゲームに、日本中の子供のみならず、大人も一緒になって熱狂した。

任天堂は既にゲームセンターなどで流行っていたテトリスを、いち早くゲームボーイに移植し、その一大ブームの火をつける。ゲームボーイ版のテトリスは、累計で400万本以上が売れ、ゲームボーイの爆発的な普及の契機を作った。ちょうど、DSの脳トレのような存在と言える。

当然、テトリスに続けと、国内のゲームクリエイターたちは、こぞって新手のパズルゲームを考えた。横井も、そこに参加したのである。

テトリスが、「単純で面白い」という、ゲーム本来の基本に立ち戻ったものだったからこそ、横井のハートにも火がついたのだろう。そこからの横井は、1カ月以上ものあいだ、朝から晩まで、ひたすらテトリスで遊びながら、新たなゲームを考えていたという。

そうして完成したドクターマリオは、形を合わせるテトリスに対して、落ちてくるカプセルの色を合わせて消すというゲーム。任天堂初のオリジナルパズルゲームで、ポスト・テトリスを狙ったパズルゲームの中でも、最も息の長い人気ゲームとなった。

ゲームボーイ版で200万本以上、ファミコン版でも150万本以上を売り上げ、その後も続編や派生ゲームが何種類も作られている名作。これもまた、ゲーム機のハイテク競争とともに、ソフトが映像や音声で勝負していることに危機感を覚えた横井なりの、アンチテーゼだった。

その後、横井は1996年8月、54歳の時に任天堂を退社し、翌9月、コトという小さな玩具メーカーを京都に立ち上げた。

当時、「不振に終わったバーチャルボーイの責任を取った」「山内社長と喧嘩別れをした」などと囁かれたこともあったが、側で見ていた瀧は「そうではない」と否定する。

もともと横井は「50歳になったら退社して好きなことをやる」と決めていたという。それが、多少遅れただけのことだ。

ゲーム&ウオッチから始まり、ファミコン、スーパーファミコンと立て続けに世界的なヒット商品を生み、京都の花札屋は、世界のゲーム屋へと一気に昇華した。

その中で、老舗開発部門のトップである横井の収益責任も日ごとに大きくなっていった。やりたいことと、儲かることとの乖離。その狭間に立ち苦しんだ横井は、「好きなこと」をやりたかったのである。女の子の手を握るために、ラブテスターを作っていた頃のように。

横井がやりたかったこと。それは、退社の直後に刊行された前掲書にしっかりと記されてある。

――実用品の世界の方と、遊びの世界の私が、互いに足りないところを補って、新しいものが生み出せるのでないかと思っています。

――例えば、医療分野なんか面白いと思うんです。バーチャルボーイのときに、PL法の関係で医療分野の人たちと話す機会があった。そうしたら、リハビリなどの世界にゲームの要素を入れると非常にいいという話が出たんです。

――ゲームの楽しさを、医療とか実用品とかの世界に結びつけたらどうなるかということを考えてみたいのです。言ってみれば、「枯れた〝ゲーム〟の水平思考」ということになるのでしょうか（笑）。

コトを設立してから1年1カ月後の1997年10月4日、横井は北陸自動車道での交通事故に巻き込まれ、逝った。道半ばどころか、再出発したばかりの、享年56歳だった。

「危機感」「娯楽」「驚き」「喜び」「堅牢」「枯れた技術」「水平思考」……。岩田や宮本が大切にし、「ゲームの任天堂」の復活を呼んだこれらのキーワードは、すべて、横井の生んだ商品や横井の哲学に通ずる。

そして、岩田や宮本は、結果として横井の遺志を継ぐように、脳トレやＷｉｉフィットで娯楽屋の強さを他分野へ応用し、大きな成功を収めて見せた。

今日の任天堂にＤＮＡというものがあるのだとすれば、そのファウンデーションの大部分は、横井が築いたと言っても過言ではない。それほど、横井の存在は任天堂にとって大きい。

ただし、もう1人、忘れてはならない存在がある。

その横井にチャンスを与え、継ぐ岩田や宮本を見初めたのは当時の社長、山内に他ならない。岩田、宮本、横井。その系譜の行き着く先には、山内という存在が厳然とある。

「あれは、上司と部下ではなくて、親子ですよ。僕にはそう見えました」

当時をよく知る関係者は、山内と横井の間柄を、そう評する。現に山内家と横井家は家族ぐるみの付き合いをし、両家揃って食事をともにすることも珍しくはなかったという。山内という親は、どんな親であり、どんな考えの持ち主であり、教えを施したのだろうか。

やはり本人に会わずして、任天堂を語ることはできない。

第6章

「ソフト体質」で生き残る

「山内溥という人は、何にこだわっていたか。
『娯楽はよそと同じが一番アカン』ということで、
とにかく何を作って持っていっても、
『それはよそのとどう違うんだ』と聞かれるわけです。
『いや、違わないけど、ちょっといいんです』というのは
一番ダメな答えで、それではものすごく怒られる。
それがいかに娯楽にとって愚かなことかということを、
徹底していたんですね」
……岩田

カリスマ山内の「直感経営」

山伏の総本山、京都・聖護院のほど近くで、日本一の富豪は健在だった。

車1台がやっと通れるほどの細い路地を行き、長い塀に囲まれたお屋敷の門をくぐる。高級旅館と見まがう立派な玄関には「大器」という書が大きく掘られた木版などの骨董品が並んでいる。応接間へと歩を進めると、眼前に広がるのは秋の小京都。手入れが行き届いた中庭の木々は、燃ゆる紅色に色づき、名状しがたい光景を醸している。

2007年冬、家主はそこへ、しっかりとした足取りで現れた。任天堂の中興の祖、3代目社長の山内溥である。

春秋に富む岩田聡を2002年5月、後継に指名して、相談役に退いた。以降、聖護院近くの自宅で隠居生活を送っている。

「僕はもう、任天堂を一応辞めたんやからね。社長を辞めた人間がばんばん喋っていたらおかしいでしょう。辞めた以上はやっぱり、現職の連中が喋らないと」

そう言って、引退後は任天堂に関する取材を固辞して来た山内。しかし、山内の眼光は今なお鋭い。任天堂の経営に関する重要な事項を今でもファクスを通じて常時把握し、岩田をはじめとする経営陣に対して絶大な影響を及ぼしている。

やはり、昔も、今も、任天堂に関わるすべての人間にとっての〝カリスマ〟なのである。

山内のカリスマ性は、誰にもマネできない「直感」が生み出している。プレゼンテーションや戦略立案にデータを多用する岩田は、山内をこう評する。

「とにかく山内さんってすごい人なんですよ。ものすごく直感が鋭くて、何でこんなことわかるの？　ということをズバっと言い当てるんですね。引退してからも、たまに電話で話しますと、何でここがわかるかなぁ、明日帰ってきても社長できますよ、って思うくらいに鋭い。で、私は直感で勝負したらアカンなと思いましてね」

山内とは不思議な人物である。岩田のように無類のビデオゲーム好きというわけでも、宮本や横井のように生粋のクリエイターというわけでもない。現役時代、経営判断のためにゲーム機を触ることはあっても、それ以上に遊ぶことはなかった。

引退してからも、ＤＳやＷｉｉの存在や内容は十分に知っているが、自身で遊ぶことはない。にもかかわらず、ヒットするか否かの目利きは誰よりも鋭く、時折、まるで千里眼を持ち合わせているかのような恐るべき示唆を、現場に与える。

「２つのゲームを同時に遊べないか」

1980年に発売したゲーム&ウオッチのヒットを見た山内は、続編の開発に専念する横井にそう言った。山内の言葉は絶対だ。だが、ゲーム&ウオッチの液晶は、現在のようにどんな絵柄も映し出せるものではなく、あらかじめ決められた絵柄しか出すことができない。2種類のゲームを1画面に収めるのは、相当に難しく、コストも高くつく。

そこで横井は、2つの液晶画面を上下に配置した「マルチスクリーン」のゲーム&ウオッチ《オイルパニック》を開発した。同じゲームだが、2つの画面はそれぞれ違う絵柄で違う動きをするため、2つのゲームが収録されているようなもの。このマルチスクリーンは、シリーズ最大のヒット作、ドンキーコングへとつながった。

第1章で触れたように、もう1つの大ヒットした2画面ゲーム機、DSも、山内の言葉が起点となっている。2002年、山内は経営から退く時に「2画面」というキーワードを継ぐ者たちに託した。その言葉を受けた岩田と宮本が考え抜いた結果、タッチパネルを使った2画面のDSが生まれた。

据え置き型のゲーム機が不振だったあいだ任天堂の収益を支え続けたゲームボーイも、山内の一言が液晶画面の視認性の改善につながり、屋外で極端に視認性が悪くなるカラーの競合商品を寄せつけない大ヒット商品へと育った。

そもそも、任天堂がゲーム産業へ急激に傾倒する契機となった、ゲーム&ウオッチという新規事業の決断も、実に直感的である。

その日、運転手が不在で、山内のキャデラックを運転する人間が急遽必要となり、当時外車を乗り回していた横井にお鉢が回って来た。横井は、「何か仕事の話をしなければというわけで、新幹線の中でのサラリーマンの退屈しのぎの話をしたんですね」と自著で披瀝《ひれき》している。

その時、山内は、「フンフン」とうなずくだけだったが、行き先の会合で居合わせたシャープの社長（当時）、佐伯旭にさっそく電卓型のゲーム機の話を持ち掛けた。ここから、トントン拍子でゲーム&ウオッチの開発が進んでいくことになったという。

山内は決してエレクトロニクスに明るかったわけでも、ゲームの専門家だったわけでもない。それでも、重大な決断を瞬時に下し、見事任天堂を、「京都の花札屋」から世界のゲーム企業へと昇華させた。

何気ない1つひとつの言葉が、その後の大きな成功につながっているという事実。

その事実が積み重なるから、山内のカリスマ性も実体を伴って増幅されていく。だから任天堂の社員は山内の言葉を、神懸かった託宣に近い、絶対的なものとして捉えていた。

時に山内の決断は現場に負担を強い、軋轢《あつれき》を生むこともある。それでも、創業家で筆頭株主である山内が「鶴の一声」で右へ向けと言えば、一気に右を向く。

良く言えば統制力がある社長、悪く言えば「ワンマン経営」の社長だ。しかし、だからこそ、今日の任天堂があると言える。

ヒットするか否かの目利きは誰よりも鋭く、恐るべき示唆を現場に与える現相談役の山内（写真提供：時事通信社）

ゲーム&ウオッチ事業が成功した後、山内は抱えていた負債を返した上で、余剰金を惜しみなくファミコン事業へと投じた。社内ではゲームセンターなどに置く業務用ゲーム機事業も細々と続いていたが、それをすっぱりと切り、ファミコンに集中した。

宮本は当時をこう振り返る。

「ファミコンを始めた時に、僕らは業務用をやっていたんですね、竹田も僕も。でも、山内さんが『業務用はやめた』と言い出しまして、業務用のチームを全部ファミコンにシフトした。何か会社も畳んだような。ええっ、そんなことをしていいのって、その時は思いましたけど」

畳んだ会社とは、業務用ゲーム機の販売や保守のために1973年に設立した任天堂レジャーシステム。正確には、ファミコンの発売後、任天堂本体に吸収される形で法人格を失った。当時、ドンキーコングという業務用ゲーム機で頭角を現した宮本が驚くのも当然だ。

だが、結果として会社にとっては至極正しい決断だった。岩田は、言葉を継ぐ。

「それをいち早くやったから、任天堂は家庭用で1番という地位を有するに至ったんですよ。その時の判断、そんな乱暴なことができるのは、ワンマンの特権ですよね」

そして、こうも語る。

「山内さんという人があの時の限られた条件と限られたリソースと時代背景の中でベストなことをしたから、小さなトランプ屋さん、カルタ屋さんが、ここまで大きくなった。自分に、同じようなことをしろと言われても絶対にできるような気はしません」

勝負師、山内の強さは、横井も認めている。横井が任天堂を去った時、ゲーム業界やメディアのあいだに、前述のような、こんな噂が流布した。

「山内社長のワンマン体制に嫌気が差したのではないか」――。

だが、張本人の横井が、「なぜ私は任天堂を辞めたか」と題した1996年11月号の『文藝春秋』への寄稿で、「私は任天堂がここまで大きくなったのは、実はワンマン体制のおかげだと思っています」と噂を否定している。曰く、ゲーム&ウオッチの企画に対する社内の声は冷ややかなものだったが、商品化して、数十億円の借金が数十億円の預金へと転じることになったのは、山内の鶴の一声があったからだと。

さらに山内は、その預金を一気にファミコンへと投資して、また当てた。これも山内の英断。横井は、目の前で繰り広げられている快進撃は、山内のワンマン体制を抜きには語れないと感じていたのである。

1980年度(1981年8月期)、任天堂の売上高は239億円、営業利益は43億円だった。そこからゲーム&ウオッチ、ファミコン、ゲームボーイ、スーパーファミコンと立て続けに当たり、1992年度(1993年3月期)の売上高は6346億円、営業利益は1592億円まで膨らんだ。

山内は、わずか12年で売上高を約27倍に、営業利益を約37倍に増やしたことになる。

任天堂の業績推移（1980年度〜2001年度）

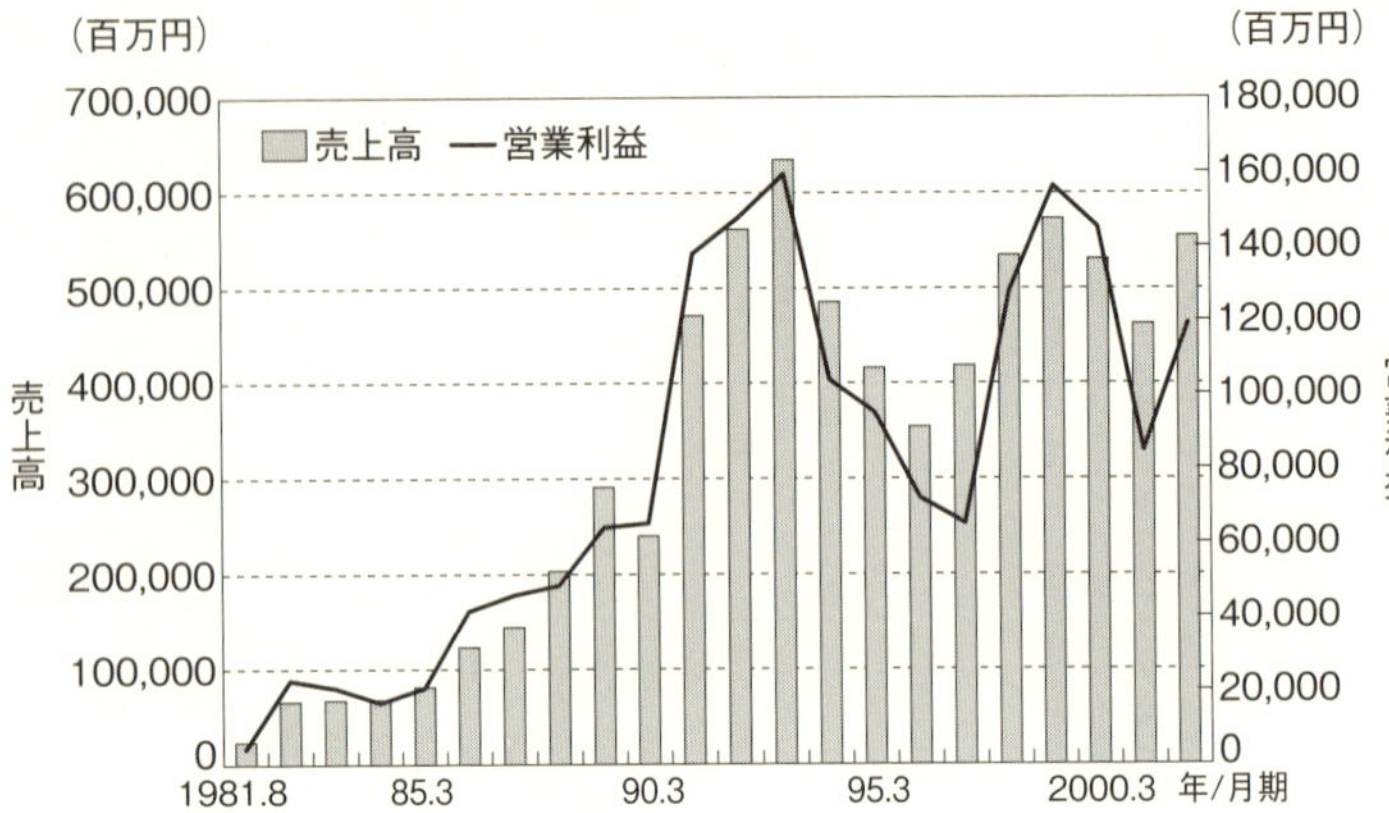

（注）1981年のみ８月決算

だが、万馬券を続けて当てたような快進撃も長くは続かない。

据え置き型ゲーム機でソニー陣営の攻勢に遭い、１９９５年度、売上高は約３５４２億円、営業利益は約７１９億円まで落ち込んだ。その後、ポケモンやゲームボーイの続編機種で息を吹き返すも、92年度に記録した最高益を超えることはなかった。

２００２年5月に引退する直前期、２００１年度の売上高は５５４８億円、営業利益は１１９１億円である。

しかし勝負師はただでは退かない。

ここから山内は手を変え、次の世代に張る。その賭けが未曾有の利益をもたらすのだから、やはり山内の千里眼はすごい。

次世代に賭けた最後の大勝負

2002年5月、当時74歳だった山内は身を引く決断をした。

退任を振り返り、山内は語る。

「いつまでも元気でいられるという保証があるんだったら僕も引退しなかったと思うけど、人間そうはいかんから、やっぱり時期を見極めないと。誰も僕に辞めろとは言えないんだから、自分で判断せんといけないわけです」

任天堂を育て52年。1代で任天堂を世界企業に発展させたカリスマも、さすがに体力、気力ともに衰えた。社内はもちろん社外でも引退勧告を自分に突きつける者はいない。そのことを自覚し、常々「21世紀という節目を機に引退する」と語っていた山内は、岩田という後継者を見出し、腹を決めた。

だが一方で、山内にはやり残したこともあった。

山内にとって社長交代は単なる引退ではない。果たせぬ大仕事を次の世代に託すという、最後の賭け、大勝負でもあったのだ。

岩田は言う。

「ビデオゲーム産業が健全な状態ではないというのを圧倒的に早く言い出したのは、たぶん山内だと思います。それは現場から離れて俯瞰していたのかもしれないし、特別な能力があったからかもしれないけれども、私たちよりも相当早く、このままじゃアカンというわけです」

ゲームソフトが高画質化、高音質化、大容量化の重厚長大路線を歩み、ヒットすればⅡ、Ⅲ、Ⅳとシリーズが続く状況に最初に危機感を覚えたのは、横井だった。

だが、横井は自分なりの答えを模索していくために独立するも、1997年、不慮の事故死を遂げる。その消えそうな声、遺志を継ぐかのように、山内は業界内で声高に危機感を叫び続けた。

1999年9月、ゲームソフト大手、コナミとの提携会見の席上で山内は、こうぶち上げた。

「ゲームソフト業界は転機を迎えている。画像や迫力ばかりを追い求めた、これまでの重厚長大なソフトは、開発資金もかさみビジネスとして成り立たない」

その翌年の9月にも、アナリスト向けの説明会で、こんな発言をしている。

「大容量ゲームはダメ。こんなことをしていたら世界中のメーカーが潰れてしまう。重厚長大なゲームは飽きられている。ゲームビジネスの本質は、常に新しい楽しさを開発し、ひたすら完成度を高めていくことである」

ゲーム産業からアイデアや驚きが失われている。安直な大容量、重厚長大路線はいずれ顧客離れを引き起こし、業界全体が沈むだろう――。

山内の「予測」は、岩田が危機感を感じた「現実」と符合する。ゲーム人口拡大戦略の発端となった、ゲーム離れの気づきすらも、山内は見通していたのだ。

だが、残念ながら山内の思いは当時、岩田のとった「ゲーム人口拡大」という戦略や、DSやWii、脳トレといった具体的な商品に落とし込まれることはなかった。言い換えれば、山内の思いに、現場は応えることができなかった。

山内は、自らが商品の企画者となって現場を先導するタイプの経営者ではない。

横井のような人間を見出し、的確な指針を与え、経営判断を下し、時には意見をする。山内が決めることに誰も異を唱えることはできないが、そのすべてが面白いように当たるからこその、カリスマだった。

しかし、据え置き型ゲーム機ではスーパーファミコン以降、ロクヨン、ゲームキューブと2世代続いて不振に終わった。携帯型ゲーム機でもハードは横井が残したゲームボーイの改良が続くばかりで斬新なアイデアは出ず、ソフトもポケモン以外に大ヒットと呼べる画期的な商品は生まれなかった。

であれば、経営スタイルを変えるしかない。それが引退の本当の理由だったのではないか。

山内が後継に指名した岩田は、自らソフトのプログラミングをするほどゲームに精通した現場型。独断で物事を決めるのではなく、周囲と納得がいくまで話をして擦り合わせる合議型であり、

山内は岩田という自身とは対極のスタイルの後継者を見出し、経営スタイルの変更という大仕事を託した（写真提供：共同通信社）

末端の社員1人ひとりとのコミュニケーションも欠かさない。山内とは対極のスタイルである。

だから山内は、新たなスタイルに曙光を見出す一方、急激な変化へのリスクヘッジも施した。

1人のカリスマから集団経営体制へ――。社長交代が発表された2002年5月、メディアはそう書き立てた。社長の岩田、ソフトの宮本、ハードの竹田、その他3人を合わせて、合計6人の代表取締役を指名したのだ。岩田は言う。

「カリスマの引退後の会社が何に苦労するかというと、どうやって求心力を保つかとか、どうやって派閥が起きないようにするかとか、それから、どうやって会社全体の意見を揃えるかということなんでしょうけど。山内が残していった仕組みは今の任天堂ではすごく機能していて、やっぱり『参りました』なんですよね」

経営スタイルを対極へ変える大胆な戦略変更とリスクヘッジ。それこそが、山内が賭けた最後の大勝負なのである。勝算はあった。山内は語る。

「社長を辞めようと思った頃、2画面の携帯型ゲーム機をやろうということを僕が考えた。それをどう展開するか、どう肉付けするか。これはもう次の連中に託そうと思ったわけ。何でかというと、幸いにして任天堂には、すごくゆとりがあったわけよ。借金はないし、預金はたくさんあるし、少々のことでは潰れない。片方ではソニーに負けてピンチだけれども、他方では2画面ゲーム機の成功を次の奴に託そうと。もしそれでダメだったら、そいつらは結局、任天堂の経営者として失格なんです」

2画面というヒントも譲った。これでダメなら仕方がない。勝負師は、最後に潔い賭けに出た。そして、見事に勝った。山内の引退時に比べて、売上高は1兆2000億円以上、営業利益は4000億円以上も増えたのだから、恐れ入る。

恐るべき直感と勝負強さを、ここでも見せつけた山内。その根底には、ある思想が厳然と横たわっている。

ソフトが主、ハードは従

なぜ山内は岩田を指名したのか。直感と言ってしまえばそれまでだが、どうしても本人に聞いてみたいことの1つだった。山内の答えは、こうだ。

「いったい何を基準にして任天堂に必要な人を選ぶのかと言えば、果たしてその人が『ソフト体質』を持っているか否か。実際に接してみると、この人はハードの人、この人は体質的にソフトに順応できる人というのがわかってくるんですよ。僕自身がソフト体質の経営者だから、そういうことがわかるんじゃなかろうかと自分では思っているわけです」

山内はインタビューの中で、この「ソフト体質」という言葉を繰り返し、口にした。人選だけではない。山内の経営のすべてが、このソフト体質という思想に基づいている。

山内にとって産業は、ハードとソフトの2つに大別される。自動車、鉄鋼、造船、家電……。これらモノづくりの企業は、言うまでもなくハードの会社だと言う。そして、それらの会社は、我々人間が生活をより良く、長く保持するために必要なモノを作る会社なのだと。

モノづくり＝ハード＝必需品。このカテゴリーにいる会社は、より良いモノを安く作ることが至上命題である。

死力を尽くして技術開発に邁進する一方、労働力の安い土地を求めるなどしながら、より効率的な大量生産に取り組んで来たからこそ、我々の生活はより便利に、より豊かになった。

そうなると、今度はいかに楽しく暮らすか、いかに余暇を過ごすか、いかに味気ない生活を彩りのあるものに変えていくか、という需要が生まれ、娯楽産業が勃興する。

娯楽産業はあらゆる点で必需品を作るハード側の産業とは違う。

人間が生きるために必要なモノを扱うわけではないので、喜びや驚きがないと見向きもされないし、わかりやすく快適でないとそっぽを向かれてしまう。技術や性能、価格といったハードの出来ではなく、コンテンツの面白さやルール、仕組み、すなわちソフトの出来が求められる世界である。

言い換えると、娯楽産業は、高機能、高品質のモノをより安く作るための体質が優先されるハード産業とは違い、洗練されたソフトを生み出す体質、すなわち、ソフト体質が優先される、というのが山内の持論だ。

娯楽の世界に身を置き続けた任天堂には、その体質が染みついている。

特に資本主義、市場原理主義に揉まれた近年、激しい競争の中で任天堂が勝ち抜いたということは、トップにその体質を守り抜く資質が備わっていた証左なのだと、山内は言う。

「もし、僕がハード体質の経営者だったら、任天堂という企業はおそらく今日までとても来られなかった。ＤＳが、Ｗｉｉがヒットした、かつてはファミコンが大ヒットしたと人々に言ってもらえるのは、それは私たちがソフト体質だったからです。ハード体質の経営者がもし、いたとしたら、辞めてくれと言いますし、そうしないと任天堂という企業は潰れるんですよ」

山内の言うように、ソフト体質を発揮できた時、任天堂という会社は好転してきた。

格子状に組んだ骨組みが伸び縮みするウルトラハンドは、山内が「ゲームにしろ」と厳命したことで、モノを掴んで離す機能が追加されて、ヒットにつながった。

ファミコンの発売時は、ソフトの扱いや流通の仕組みに気を遣った。外部のソフトメーカーが開発したゲームであっても、ソフトのカートリッジはすべて任天堂が受託生産するという仕組みを導入。ソフトを発売するか否かの判断も含めて、ソフトに関する権限を掌握した。

ファミコンというハードの販売ではなく、その上で稼働するソフトの販売こそがビジネスの中核だと考えたからである。この仕組みはソフトの粗製濫造を防ぎ、面白さや質を維持した。

だが半面、ソフト体質を発揮できず、ハード体質が表に出てしまった時、任天堂という会社は悪化する。スーパーコンピュータ並みの性能を優先させ、ソフト開発の難易度を上げてしまったロクヨンがその象徴だ。

山内はこう反省する。

「社員にはハード体質の奴もたくさんいる。だからといって、社員を辞めさせるわけにはいかんでしょう。ファミコンの時は、たまたまソフト体質の人間に恵まれたけれども、次の段階では新しい開発者が出てきた。それが不幸にして、ソフト体質でなかった。だからロクヨンのようなものが作られたわけ。あの時、僕は不満やった。ロクヨンが出た時に『ダメだな、任天堂は』と思ったよ」

決して、ゲーム機本体というハードの性能や技術を疎かにしているわけではない。ソフトの魅力は、どうしてもハード本体の性能や機能に依存する。あくまでも、ソフトを主軸に、ソフトを優先に物事を考える。それが、山内の言う、ソフト体質なのである。

「私たちのビジネスはソフトとハードが一体型のビジネスなんです。だからハードを知らずして、ソフトを語ることはできない。知った上でどこに主眼を置くか。つまり、例えて言えば、ソニーはハードが主、ソフトが従、そういう路線です。任天堂はその逆でソフトが主、ハードが従。しかし、任天堂はハードをわかっている。それはこれからも変わらないと確信しています」

そう語る山内は、同じことを、岩田や宮本ら継ぐ者たちに念仏のように伝えてきた。教えは、これにとどまらない。

娯楽に徹せよ、独創的であれ

前述の通り、任天堂には明文化された社是、社訓のようなものがない。山内は語る。

「企業理念という言葉は僕は嫌いだから、そういう言葉に対しては抵抗があります。評論家か経営者かわからんような経営者が増えてきて、そういう人たちの本も出ている。しかし、それを読んでいったい何になるんです。参考になるかもしれないが、それでは経営者として大成しないと思う。やっぱり自分で考えないと。だから、そういう言葉は使いません。しかし当然、考えがなかったら経営はできませんからね」

その山内の考えは、岩田をはじめとする継ぐ者たちに、口述で伝えられてきた。「任天堂らしさ」を形作るすべてが、山内の門下生たちへと。

2008年10月、任天堂の経営方針説明会の質疑応答で、岩田はこんなエピソードを披露した。

「今日ここに並んでいる6人は山内溥という人の教え子です。山内溥という人は、何にこだわっていたか。『娯楽はよそと同じが一番アカン』ということで、とにかく何を作って持っていっても、

『それはよそのとどう違うんだ』と聞かれるわけです。『いや、違わないけど、ちょっといいんです』というのは一番ダメな答えで、それではものすごく怒られる。それがいかに娯楽にとって愚かなことかということを、徹底していたんですね。で、そういう意味では、『よそと違うことをしなさい』ということは、我々のＤＮＡの中に深く刻まれています」

山内は門下生たちに、事あるごとに教えを与えてきた。その原点には「ソフト体質を守り抜く」という思想があり、そこから派生した様々な教えが、岩田らの胸に刻まれている。

ソフト体質を守るということは、娯楽に徹するということと同義。事業領域を娯楽に絞るからこそ、よそと同じことをしては生き抜くことができない。驚きや喜びをお客に与えることこそが、娯楽屋の宿命である。

こうした話を山内は、岩田や宮本らに繰り返し、伝えて来た。同時に、娯楽屋であるがゆえの厳しさも。岩田は言う。

「生活必需品と娯楽品の違いっていうのは、私たちが山内から一番叩き込まれている部分で、区別しろということなんですよ」

ユーザーインターフェースの反応のスピードや操作の快適さ、説明不要の操作性、製品の堅牢さ、手厚いサポート……。岩田が任天堂の強みだと認識する「ゲーム屋が鍛えられてきた部分」も、山内の「区別しろ」という教えがあって、強みとなった。

これだけの成功を収めたにもかかわらず、謙虚であったり、娯楽屋の分をわきまえる姿勢の根底にも、山内の教えがある。門下生の1人、宮本は言う。

「僕は山内さんから『身の丈を知りなさい』と、ずいぶんと言われましたね。山内さんは、過信を極端に嫌う。自信と過信は紙一重ですが、そこに対してはものすごく敏感でした。だから会社全体も人と考えて、そこをちゃんと客観的に見ていなさいと。そういうところをずいぶんと戒められて、だいぶ勉強になりましたね」

山内の教えは引退してからも時折、岩田らに伝えられ、現経営陣にとってのリマインドとして機能している。

2006年のE3で、12月に発売を控えたWiiをお披露目した時のこと。メディアはDSに続いて据え置き型でも独創的な商品を生んだ任天堂を賞賛し、Wiiを絶賛した。

岩田はさっそく、E3での手応えが良かったことを報告すると、山内は「これぐらいユニークなことをしないといかんよな」と喜ぶと同時に、「DSがうまくいったからといって、Wiiもうまくいくというものでもないだろう」とクギを刺したという。

岩田は当時を振り返り、こう話す。

「E3の評判がいいと、やっぱり社内が一瞬浮かれかけるんですよ。でも竹田が『まだ終わってないから』ということを言い、僕も『イベントで5分間触ってみんながニコニコするのと、モノが飛ぶように売れるのは別だ』と言いまくっていた。だから、山内さんのご指導と私たちの行動が一致していたので、良かった。浮かれていて、水を掛けられたんじゃなくて良かったなと思いました」

娯楽に徹せよ。独創的であれ。必需品と区別しろ。身の丈を知れ……。山内の教えが、任天堂の企業文化を醸成し、山内から岩田らへ言葉が継がれている。であれば、なぜ社是や社訓、企業理念として明文化し、全社員と共有しないのか。

それは、山内が言うように、山内自身が企業理念という言葉を嫌い、明文化したものが必要な経営者は大成しないという考えの持ち主だからである。

ここに、岩田は自分なりに解釈した、もう1つの回答を加える。

「社是、社訓がないことが、任天堂イズムなんですね。だって、社是、社訓の通りに動いていたら人々（お客さん）は飽きてしまうから」

よそと違うことをしなさい、人は同じことを続けたら飽きてしまう、環境の変化に対して柔軟でありなさい、過去に成功した方法が未来も通じるとは思ったらいけない……。

要は独創的であれと言われているのに、こうしなさいという文書を忠実に守るのはおかしい、という岩田の理解だ。

山内の教えが、継ぐ者によって新たな解釈を生み、任天堂らしさは進化している。だが、進化しながらも、基礎となる山内の教えは、継ぐ者たちの胸に深く刻まれ、保たれていく。だから、任天堂という会社は変化に対して柔軟に対応できるのに、芯はぶれない。

山内あっての任天堂。山内の思想や教えがあっての強さ。

しかし、いくらカリスマでも、一朝一夕で持論を確立できたわけではない。数多の失敗や辛苦を乗り越えたからこそ、山内は娯楽屋として生きる覚悟を深め、生きる術を知った。

第7章

花札屋から世界企業へ

「僕たちのビジネスというのは、勝ったら天に昇るけれども、
負けたら地に沈む。だから、それはもう、
素晴らしい発想が出てくるのか、こないのか、
アイデアにかかっている」

……山内

京都のぼんぼんとトランプ

京都・上鳥羽にある任天堂本社から南西に歩くこと十数分の場所に、タクシー会社、南ヤサカ交通の本社兼営業所がある。京都でよく見かける「三つ葉のクローバー」がトレードマークのヤサカグループの1社で、150人の従業員、84台の車両を抱える中堅だ。

今も創業時のビルを本社として使い、4階建ての茶色のビルの屋上には、創業時の社名、ダイヤタクシーにちなんだひし形のロゴマークが残る。

この会社が、かつて任天堂の子会社だったことを知る者は少ない。

タクシー、食品、複写機……。今では考えられないような多角経営の時代が、任天堂にはあった。負債を抱え、倒産しそうな憂き目に遭ったこともある。

そのすべての危機を乗り越える中で、山内の嗅覚は研ぎ澄まされ、娯楽屋として生き抜く覚悟が固まった。

山内は、任天堂の初代社長である山内房治郎の曾孫で、男児に恵まれなかった房治郎が娘の婿養子として迎えた2代目社長の山内積良の孫である。先代に続いて積良も男児に恵まれず、工芸家の稲葉鹿之丞を長女の婿養子とした。山内は、その鹿之丞の長男として、そして山内家待望の世継ぎとして、1927年11月、京都に生を受けた。

その後、父親の鹿之丞が出奔してしまうも、山内は祖父母のもとで何不自由なく、約束された将来に向かって育つ。終戦直後には、「東京で遊びたい」という理由で上京、早稲田大学法学部に進学する。

〝京都のぼんぼん〟は、学生時代を謳歌した。進駐軍の高級将校などが住まう東京・渋谷の高級住宅街。そこに祖父が購入してくれた一軒家に友人と暮らし、庶民には手が出ないビフテキを食らい、ワインを嗜《たしな》み、ビリヤードに興じる日々。ぼんぼんらしい生活が一変したのは、4年生となった1949年のこと。2代目社長の積良が突然、病に倒れたのだ。

父親が出奔した時点で、山内の運命は決まっている。京都に帰り、病床の祖父から後継を命じられた山内は、「山内家の人間は、自分1人で十分です」と親族の排除を条件として、弱冠22歳で家督を継ぐこととなる。

当時の任天堂(合名会社山内任天堂)の主力商品は花札。材料を数百件の内職先に配り、丹念な手作業を経て完成した商品を、社員が自転車で回収していた時代。「ぼんぼんに何ができる」と若社長に反発する輩もいた。が、山内は去る者を追わず、家業の近代化に着手した。

1951年、社名を任天堂骨牌へと改名。骨牌とは「カルタ」の意で、カルタとはポルトガル語で「カード」の意である。その後、工場を建設し、製造の機械化に踏み切り、1953年には、日本で初めてプラスチック製トランプの製造に成功した。

汚れにくく曲がりにくいトランプ。戦後の復興期、そして高度経済成長の波に乗り、業績を順調に伸ばし続けた任天堂は、1959年、またもやヒットを飛ばす。キャラクタートランプだ。

トランプと言えば、表面はハートやスペードなどのマークと数字の図柄、裏面は幾何学模様というのが定番。それを任天堂は、米ウォルト・ディズニーと交渉し、ミッキーマウスなどのキャラクターを図柄の一部に採用した「ディズニートランプ」に仕立てて売り出した。

カードは元来、博打の歴史に欠かせない大人のおもちゃ。これをキャラクター起用で子供向けとし、さらに幾つかのゲームのルールを記した「遊び方」を付けたことが、ヒットにつながった。

山内が、娯楽商品の爆発力、そしてソフトの重要性を肌身で知ったのは、この頃。だが、娯楽一筋で生きる覚悟は、まだなかった。

勝てば天国、負ければ地獄

ディズニートランプの勢いに乗り、任天堂骨牌は1962年、大阪証券取引所2部と京都証券取引所に上場、翌年、社名を現在の任天堂に改めた。

意気揚々と再出発を切った任天堂。だが「骨牌」以外の商売にも手を出していたことが、苦悶の20年間の引き金を引くこととなる。

1964年、東京オリンピックの直後から進行したモータリゼーション。それを予見した山内は、冒頭のタクシー会社を1960年に設立すると、今度は「インスタントラーメンの次はこれだ」と、1961年、食品会社を作って乾燥米にお湯をかけて食べる「インスタントライス」を売り出した。

キャラクタートランプの成功体験、2匹目のドジョウが頭にあったのだろう、山内は1960年代半ばにかけて、「ディズニーふりかけ」「ポパイラーメン」などを次々と開発、その数年後には、簡易複写機や電卓などを独自開発し、事務機器業界にも参入した。

経営の多角化と言うよりは、迷走と言った方が正しい。

高度経済成長が本格化し、娯楽も多様化の方向へ向かった。大ヒットしたディズニートランプも、売れ行きがぱたりと止み、すぐに尻すぼみとなる。後に山内はこの時代、「いったいどうしていいのか、わからない」状態だったと述懐している。追い込まれた末の新規事業。その結果は、惨憺《さんたん》たるものだった。

重なる投資、売れない商品。膨らむ負債と在庫の山。いつ潰れてもおかしくない状況の中、山内は金策に奔走し、花札やカルタといった安定商品で何とか食いつないだ。そこに1965年、1人の救世主が入社して来る。アイデア玩具で道を開いた、横井である。

ウルトラハンド、ウルトラマシン、ラブテスター……。

横井のアイデア玩具は数十万から100万以上の単位で大ヒット。何でもないハードに、ちょっとしたアイデアとゲーム性を加えた商品は、傾いた任天堂の経営を立て直すのに十分な現金をもたらした。

横井が生み出すアイデア玩具はやがて、枯れた技術の水平思考とともにエレクトロニクス玩具へと傾倒していく。光線銃シリーズがその代表格。これも、空前のヒット商品へと育つ。

任天堂とは娯楽の会社である。娯楽とはソフトの出来がモノを言う――。

その思いが山内の心に刻まれ、娯楽屋として生き抜く覚悟が醸成された。山内はタクシー会社や食品会社を次々と畳んで、以降、娯楽に徹するようになるのだが、しかし、そうは問屋が卸さない。この後、さらに娯楽の厳しさの洗礼を受けるのである。

光線銃は、人気を博する一方で不良品が相次ぎ、売れはするが儲けは出ない状況でもあった。それでも山内は、エレクトロニクスを駆使した新しい時代の玩具に光明を見出し、横井に言った。

「うちの光線銃を使って競技ができないか」

ちょうど、エアーガン（空気銃）がブームになり、エアーガンを使った競技も盛り上がりつつある頃。お題を与えられた横井は、クレー射撃の光線銃版「レーザークレー射撃」を考案した。「世界初、レーザークレー射撃場オープン」。そんな触れ込みのレジャー施設が京都にお目見えしたのは1973年。場所はボウリング場跡地。レーンの先にある遠くのスクリーンの脇から飛び出て、弧を描く円盤に狙いすまし、センサーが付いたショットガンの引き金を引く。見事、命中すれば、皿の映像が砕け散るという遊びを楽しめる施設だ。

評判は本当に良かった。新手のレジャー施設にお客とメディアが殺到、ブームが下火になり閉鎖を検討していた全国のボウリング場からは注文が殺到した。かつてない勢いに、任天堂も資材や部品を大量に発注して、全国展開に備えた。

だが、砕け散ったのは、皿ではなく、全国展開の夢だった。この年、第1次オイルショックが日本経済を襲ったのだ。

止まる注文、相次ぐキャンセル。大幅な増益を見込んでいた1974年8月期の売上高は前年比約2割減の35億円にとどまり、負債は50億円に増えてしまう。まさに天国から地獄。一寸先は闇である。1977年に50歳という節目を迎えた山内は当時、「このまま終わるのか」と半ば諦めかけたこともあった。それでも、任天堂史上最大のヒット商品、ゲーム&ウオッチが生まれ、息を吹き返すどころか、負債を補って余りあるカネを運んで来てくれた。

「僕たちのビジネスというのは、勝ったら天に昇るけれども、負けたら地に沈む。だから、それはもう、素晴らしい発想が出てくるのか、こないのか、アイデアにかかっている」

山内は今、こう語る。自身の乱高下の体験を通じて、娯楽で生きる覚悟を決め、ソフトの重要性を知った。しかし同時に、娯楽というのは浮き沈みが激しく厳しい世界であることも痛感した。だから常に驚きや喜びを運び続けなければならない、よそのマネをしてはならない、という覚悟も生まれた。

しかも「考えに考えて、いい結果が出る保証はない。何年も考えていることよりも、ぱっと考えつく、一瞬のひらめきの方が優れている場合があるのやから」と言うから、なおのこと厳しい世界である。事実、ウルトラハンドやゲーム&ウオッチを生むこととなった判断は、一瞬のことだった。

必ずしも、努力が結果に結びつく世界ではない。一瞬のひらめきを確実に拾う経営者の体質が重要である。その山内の教えを忠実になぞったように、岩田は、ＤＳでタッチペンを使うという宮本のアイデアをほぼ即決で採用した。

山内の語るすべては、壮絶な経験を経て学んだ結果なのである。

もう１つ、山内は、忘れてはならない教訓を苦難の歴史を通じて得た。

失意泰然、得意冷然

娯楽やソフト体質に並ぶ任天堂の社風の根幹には、「運」を重んじる考えが厳然と存在する。だから任天堂という会社は、どれだけヒットを飛ばしても驕らず、謙虚な姿勢を保とうとする。

山内は自らの経営者としての才覚をひけらかすことはしない。その代わり、自分にはソフト体質が備わっており、そして運がついていると語る。ロクヨンとゲームキューブで任天堂が沈んだ時代もそうだ。

「僕に運があったのは、ゲームボーイが誕生してポケモンも出てきたこと。任天堂には、やっぱりソフト体質の人々がいて、それで何とか折り合いがついた。これは何かと言ったら、もう運が良かったとしか言いようがない」

山内に言わせれば、DSやWiiのヒットも運である。

「脳トレとか《しゃべる!DSお料理ナビ》とかいろいろな分野が出てきて、すごくDSが普及して評価された。それは、結果として新しい分野を、新しいユーザーを開拓できたのは、非常に幸運だったし、任天堂にとって大きい意味を持っていたと言うべきであって、初めから意図していたと言うのはおかしい。そんなにすごい人はいないのでね」

その考えは、しかと後継者の腹に落ちている。岩田は、前出の自社のホームページの企画「社長が訊く」の中で、DSの大ヒットについてこう話している。

結果を伴ったというのは、幸運に恵まれた部分でもありますね。だって、正しいことをしても常に結果がついてくるとは限らないわけで。人が何をもって面白いというかということもそうですが、とりわけ商品が何をもってヒットするかということに関しては、自分たちの力の及ばない部分がものすごく大きいんですよ。

人生一寸先が闇、運は天に任せ、与えられた仕事に全力で取り組む――。

山内が定義した、任天堂の社名の由来である。山内は社名に関連して、しばしば「人事を尽くして天命を待つというのは違う。人事は尽くせない。努力は際限ない」と社内外に語っている。だが、「人の力が及ばない運というものはある」とも語っている。つまり、「最後は天が決める。それまで最善を尽くせ」という解釈だ。

いい時は運に感謝する。悪い時は運がなかったと思い、次へ行く。運を重んじる経営は、すなわち、常に平静であれ、という解釈もできる。厳しい娯楽の世界で生き抜く覚悟を決めた山内は、一方で、浮き沈みの激しい業界であるのだから結果に一喜一憂しない、ある種の割り切った経営を目指すことでバランスを取った。

「失意泰然、得意冷然」——。山内が掲げる座右の銘である。運に恵まれない時は、慌てず泰然と構え努力せよ。恵まれた時は、運に感謝をし、冷然と努力せよ。山内はそう、自らに語り掛け、継ぐ者たちにも語って来た。

一瞬のひらめきやアイデア、その勢いを糧に育った任天堂が、しかし、社業の性質とは裏腹に沈着な顔も併せ持つ背景には、こうした山内の経験があるのだ。

任天堂に入社してから社長を辞めるまで半世紀以上。幾多の苦難をかいくぐった山内の価値観は、ソフト体質と運という言葉に収斂され、任天堂に定着した。

それは、室町の時代から続く「カルタ屋」の精神と、どこか似たところがある。

カルタ職人のベンチャー魂

2009年9月、任天堂はその創業から数えて120周年を迎える。

木版の工芸家だった山内房治郎が京都の地で花札屋を構えたのは、自由民権運動が高揚し、大日本帝国憲法が制定された1889（明治22）年9月のことだった。

120年の伝統と歴史。だが、江戸藩政後期に生まれた花札、あるいは、室町時代に伝来したカルタの歴史からすれば、その創業は決して早いとは言えない。


三省堂の国語辞典『大辞林』によると、カルタは次のような定義となっている。

「遊戯・博打に使う札。また、それを使ってする遊び。長方形の小さい厚紙に、絵や言葉が書いてあり、何枚かで1組になっている。歌ガルタ（百人一首）・いろはガルタ・花ガルタ（花札）・トランプなどの種類がある」

カルタが日本に初めて伝わったのは、16世紀後半、ポルトガル船の種子島漂着を機に始まった南蛮貿易が盛んな頃。鉄砲や毛皮といった南蛮渡来品とともに持ち込まれたカルタはトランプの一種で、トランプを意味するポルトガル語が、「歌留多」という字に当てられた。

やがて天正年間（1573〜1591年）に入ると九州の職人は南蛮カルタを模し、初の国産カルタ「天正カルタ」を作り始める。

木版刷りで、鮮やかな色彩を配した西洋風の図柄。マークはハートやスペードの代わりに刀剣、聖杯、貨幣、棍棒の4種類が12枚ずつの合計48枚。当時の欧州の標準的なトランプに倣った形だ。

この南蛮風の一風変わった遊び道具は、戦国時代に生きた将兵の格好の暇つぶしとして徐々に全国へと広まり、人気を博する。やがて、金品を賭けて勝負する輩も出てきた。

その1つの契機となったのが、1597（慶長2）年豊臣秀吉が朝鮮へ14万人の軍を送った慶長の役である。出兵の際、全国から本営の肥前（佐賀県）に集結した将兵がカルタ遊びを覚え、帰った。この頃、土佐の戦国大名、長宗我部元親が初のカルタ禁止令を出している。

カルタは士気や勤労意欲を削ぎ、社会風紀を乱すもの――。

ここからカルタの歴史は、時の政権の規制をいかにかいくぐるかの歴史となっていく。カルタ屋は弾圧を何度も受けながらも、生き長らえる知恵を付けていくのだ。

秀吉が死去し、徳川家が支配した江戸時代に入ると、カルタ生産地は九州から京都へと移り、庶民のあいだにも浸透した。すると浪人を中心とした賭場が隆盛し、社会問題が増える。

幕府や諸藩は相次いで賭博行為の禁止令を発したが、それでも止まないので、ついに幕府はカルタの製造行為自体を禁じる。かくして天正カルタは、姿を消すこととなる。

だが、職人たちは自らの技術と木版を易々と投げ出すことはしなかった。天正カルタの消滅とともに江戸時代にまず生まれたのが、現在の百人一首カルタを代表とする「歌ガルタ」である。古の歌人が詠った上の句と下の句を対として2枚のカードに書き、歌人の肖像も描く。

百人一首、古今集、万葉集……。あらゆる歌集が木版に彫られ、彫られた。その作り方は同じだが、遊び方や図柄はトランプを起源とするカルタとは一線を画する。つまり、今風に言えば、ソフトの変更で規制に対応したというわけだ。賭博に用いられなかった歌ガルタは、上流階級の雅な遊び、知育玩具、あるいは芸術品として広がり、カルタ職人の新たな収益源となった。


江戸の職人の商魂は逞しい。歌ガルタが上流階級に普及すると、今度は狙いを庶民に定める。庶民には教育が行き届いていないので歌集は難しいが、日常会話に出てくることわざであれば馴染みがある。そこで、江戸中期に「いろはガルタ」が誕生した。

この商売、当たれば天国だが、規制もあって流行り廃りが激しい。

自戒を込めてだろうか、カルタの主産地だった上方、京の職人は、「い」のカードに記すことわざに、「一寸先は闇」を選んだ。いろはガルタは教育に良いと親や祖父母が子供に買い与えるようになり、歌ガルタとは別のチャネルが育ったのである。

一方で、天正カルタの規制に抗う職人たちも存在した。木版の図柄を南蛮風ではなく、和風に変えたらいい。江戸中期、1700年代に入ると、「うんすんカルタ」なる新種が出回った。

七福神の恵比寿様や大黒様などが図柄に採用され、合計の枚数も75枚と大幅に増えた。ゲーム性が高くなったことも手伝い、うんすんカルタは瞬く間に庶民に広がった。天正カルタの流れを汲むのだから、博奕に使われるまで時間はかからない。1700年代の中頃、重商主義政策を採った田沼意次の時代には、規制も緩く、最高の盛り上がりを見せた。

しかし、実権が田沼の政治を嫌った松平定信に移ると、風紀引き締めを図った寛政の改革により、うんすんカルタも全面禁止の憂き目に遭い、いろはガルタなど教育系以外のカルタは、市中から姿を消していく。

日本が誇るカードゲームの傑作、花札の前身である「花ガルタ」が生まれたのはこの頃だ。

花ガルタのアイデアは、うんすんカルタの比ではない。トランプ同様、うんすんカルタも数標を用いたカルタ。ところが、この数標が諸悪の根源だと見なされ、禁止の対象となってきた。

そこで職人が考えたのは、1月は「松に鶴」、10月は「紅葉に鹿」など、四季折々の植物や動物を1月から12月まで定め、数標そのものを使わずに絵で示す〝裏技〟である。加えて、天正カルタが4種類×12枚という組み合わせであったのに対し、花かるたは12種類×4枚と組みを逆にし、従来のカルタとは別物であることを強調した。

江戸の庶民は、このまったく新しい賭博カードに飛びつき、一大ブームが巻き起こった。だが、それもいたちごっこ。

やがて、花札と呼ばれるようになった花ガルタは、人気を博すれば博するほど、幕府の圧力を受ける。1841（天保12）年、老中の水野忠邦による「天保の改革」の一環として「江戸花札骨牌禁止令」が公布され、全面禁止と相成った。

山内房治郎が花札屋を始めたのは、それから48年後。次にカードゲームの一大ブームが訪れる時期とちょうど重なる。

まさに、機を見るに敏。房治郎は、絵柄やルールを変えるなど、ソフト面での対応で生き抜いて来たカルタ職人たちの知恵を伝承した上に、素早く時代の変化に対応する才覚も備えていた。

1868年、江戸幕府が倒れ、明治維新が起きても、相変わらずカルタは御法度だった。明治政府は幕府同様、賭博は悪だとし、教育用途以外のカルタの販売を禁止した。もちろん、地下に潜り賭場で張られ続けた花札も。

しかし、16世紀に九州に伝わり、姿を消した南蛮風のトランプが、再び鎖国が解けた日本へと持ち込まれると、状況が変わる。

西洋人が、切り札を意味する「trump」と叫んでブリッジの一種を遊んでいた。それを見かけた明治の人間が、トランプという名前だと思いこみ、喧伝し、定着した。だから英語では「playing cards」というものが、「トランプ」と日本独自の呼び方になったという説がある。

ともかく、文明開化の波は激しい。牛鍋やあんパンと同じく、知識人はトランプに飛びつき、ちょっとしたブームが訪れる。賭博行為は禁止だが、脱亜入欧の政策のもと、輸入自体は認めていたのだ。ほどなく、花札など国産カルタも販売自体は解禁すべきだとの議論が巻き起こる。

かくして政府は1885（明治18）年に花札の販売を解禁、1889年には他のカルタも含めて全面解禁となった。房治郎が店を構えたのは、この年のことである。

房治郎は明治に生きた工芸家であったが、その商才は、時代の先を読み、市場を開拓するという、今のベンチャー企業の精神に通ずるものがある。

花札は解禁に伴い、急速な西欧化に反発するかのような爆発的なブームに乗って、売れに売れた。禁止されていた賭博も、販売の解禁を機に盛り上がりを見せる。

ところが歴史は繰り返すもの。明治政府は1902（明治35）年、「骨牌税法」を制定、カルタ類に大幅な課税をする販売抑制策で、風紀の締め付けを図った。折しも大陸では義和団の乱に追われ、日露戦争の開戦前夜といった時代。富国強兵策の推進にカネが要ったという事情もあった。

この課税で全国の花札屋は次々と店を畳み、本場の京都でも失業する職人が相次ぎ、好況に沸いていた花札業界は一転して不況のどん底に落ちる。

だが、任天堂は生き残った。

房治郎が輸入品一辺倒だったトランプに目を付けたからだ。花札で培った製造技術を流用し、骨牌税法施行の年、日本で初めてとなる国産トランプを発売した。加えて、独自の拡販ルートを開拓したことで、商売を近畿中心から全国規模へと発展させた。

1890(明治23)年に、日本初となる紙巻きたばこの製造販売に成功し、わずか数年で全国を席巻した「東洋のたばこ王」、村井吉兵衛。房治郎は、この村井のたばこ流通網を利用することで、トランプの販路を大きく拡大させた。

花札やトランプは、たばことサイズが似ている。博打打ちが好むという点でも、相性がいい。村井とは同じ京都を拠点とする商人同士ということもあり、懇意の関係にあったことも手伝い、協力を得ることができた。

競合が消える中、紙巻きたばこの急速な普及とともに、任天堂の売り上げも急拡大。時代が昭和に入る頃には、日本最大のカード屋となっていた。

1929(昭和4)年に家督を継いだ2代目の山内積良は、店の名を合名会社山内任天堂とし、鉄筋の本社を建て、製造の効率化を図った。同時に製造販売の子会社、丸福を設立、商品の自主流通網を開拓し、花札やトランプの事業を盤石のものとする。

「かるた・トランプ　製造元　山内任天堂」

歴史を感じさせる看板がかかったレトロな建物は、今も鴨川近くの京都・正面通りにひっそりと佇んでいる。

今も本社の建物に当時の看板がひっそりと掛かる（写真提供：山田哲也）

カルタが日本に伝来してから約400年、花札が生まれてから約200年、任天堂が誕生してから120年。娯楽商売の旨みも厳しさも知るカルタ屋は、環境の変化に柔軟に対応するソフト体質を身に付けていった。その最高傑作、花札を源流とする任天堂骨牌は、古のカルタ屋の魂を継いだ。

そして、創業者の房治郎は、時代の先を見通し、よそと違うことをして、市場を開拓した。さらに山内が房治郎の魂を継いで、任天堂を世界企業へと育てた。その魂をまた、岩田が未来へ継ごうとしている。

魂を継いでいくこと。それは、任天堂が生まれながらにして持った運命なのかもしれない。

第8章

新たな驚きの種

「僕らは既に、ゲームというものが
何なんだということに関して、
あまり狭く考える必要はないんじゃないか
というところに話がきている」

……岩田

「ポスト脳トレ」の新機軸

タッチペンで1コマ1コマ、絵や文字を描き、それらをつなぎ合わせ、音声を吹き込む。子供の頃、教科書やノートの片隅に落書きをし、パラパラとめくって遊んだことを思い出す。今の子供は紙と鉛筆など使わず、DSiとタッチペンを使うらしい。しかも、作品を見せびらかすのは隣の友達ではなく、インターネットの向こうにいる見ず知らずの誰かだ。

2008年12月、任天堂は新型のDSi向けに、パラパラ漫画風のアニメーションを音声付きで作成できる風変わりなソフト《うごくメモ帳》の提供を開始した。簡単なパズルゲームなどを数百円という手頃な価格でダウンロード販売するDSi向けの新施策「ニンテンドーDSiショップ」。そこに並ぶソフト群「ニンテンドーDSiウェア」の1つとして、無料で配布されている。

DSiで作ったアニメーションは、ネットに投稿し、不特定多数のユーザーと共有することも可能。DSiに加えて携帯電話やパソコンからでも自由に閲覧できる。つまり、DSiからの投稿に限った新手の動画投稿サイトが立ち上がったのだ。

わずか2カ月後。そこには既に膨大な数の作品と、作品を楽しむファンが存在していた。

うごくメモ帳の作品が公開されているのは、「うごメモはてな」というウェブサイト。DSi向けのサービス「うごメモシアター」に投稿された作品が、自動的にうごメモはてなにも公開される仕組みになっている。

任天堂は、この投稿・閲覧のシステムを実現するために、ブログなどのネットサービスを手掛けるはてなと提携し、システム開発や運営の一切を任せることにした。膨大な数の作品とアクセスが集中することが予想されるため、餅は餅屋でノウハウのある企業の協力が不可欠と考えたからだ。

サービス開始から2カ月後の2009年2月下旬、うごメモはてなを覗くと、何日掛かっても見切れない量の作品が投稿されていた。その数、24万作品を超える。

百聞は一見に如かず。その時の総合ランキングで堂々1位の作品「プチプチVSボウニンゲン」を選択する。すると、早回し音声処理が施された高音程の声とともに、30秒ほどのアニメーションが動き出した。

「プチプチVSボウニンゲン。トゥートゥトゥー。うおー何だ、これー、プチプチだー。よし、全部プチプチしてやる、おりゃー」……。

ラフな線画で描かれた落書きのような絵が続く。線だけの〝棒人間〟が緩衝材のプチプチを潰

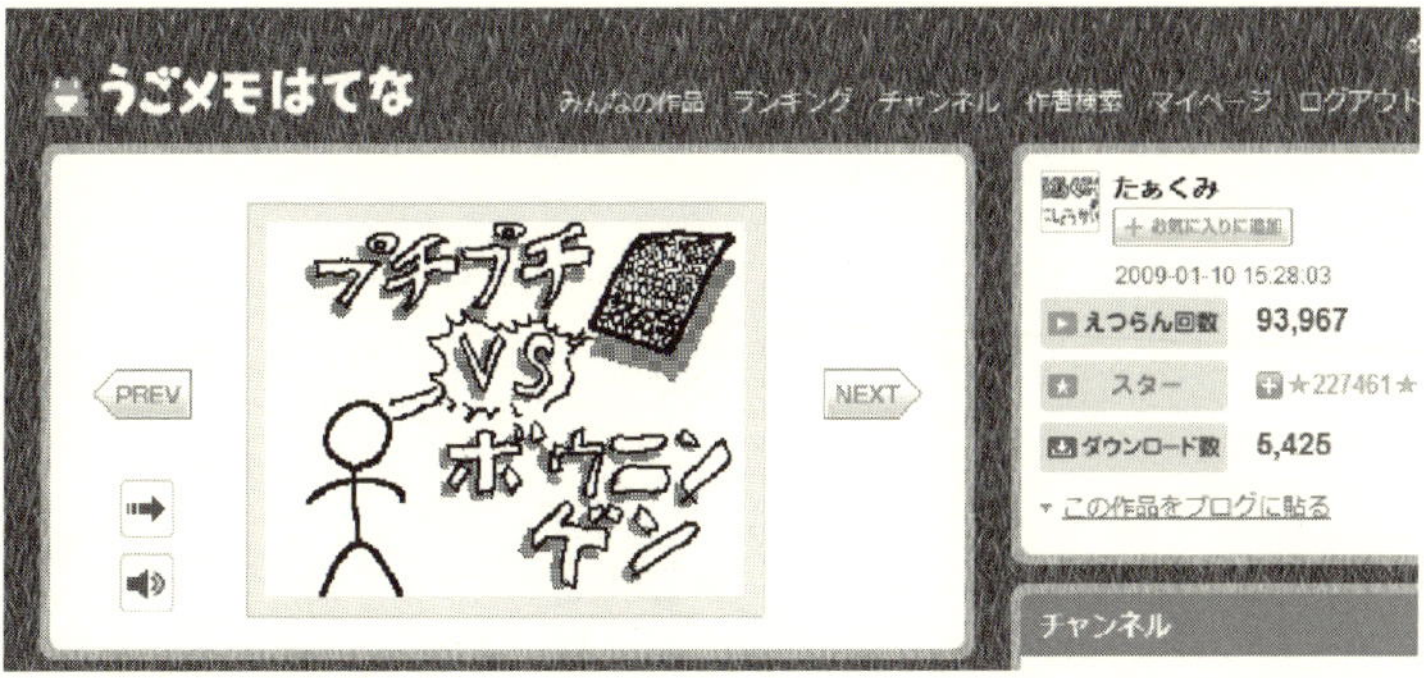

「うごメモはてな」のウェブサイトにはユーザーによる膨大な数の作品が投稿され、1日に何人もの人気作者が生まれる（写真提供：はてな）

し、最後の1個をしとめようと空中に飛ぶも地面に落下して骨折。挙げ句、電車に跳ね飛ばされ、最後は爆発に巻き込まれて棒人間の戦いはまたしても負け、というストーリーが展開される。

正直、なぜ人気があるのか理解に苦しんでしまう。だが、100件以上も付いているコメントは、総じて次のような内容。「何度見ても最高です」「すごく面白いです」「次も期待しています」……。賞賛の嵐である。

この作品を作った「たぁくみ」君は、自称、小学4年生の男の子。決して絵がうまいわけでも、音に凝っているわけでもない。が、うごメモの世界では大人気を博する巨匠扱いなのである。

コメントをよく読めば、平仮名が多く表現も稚拙で、ファンも子供であることがわかる。刹那、爆発、爆弾といった言葉に無邪気に反応し、笑っていた自身の子供時代を思い出した。子供が子供の価値観で面白い作品を評価し、応援するコミュニティが、そこには形成されてい

DSの販売台数の推移

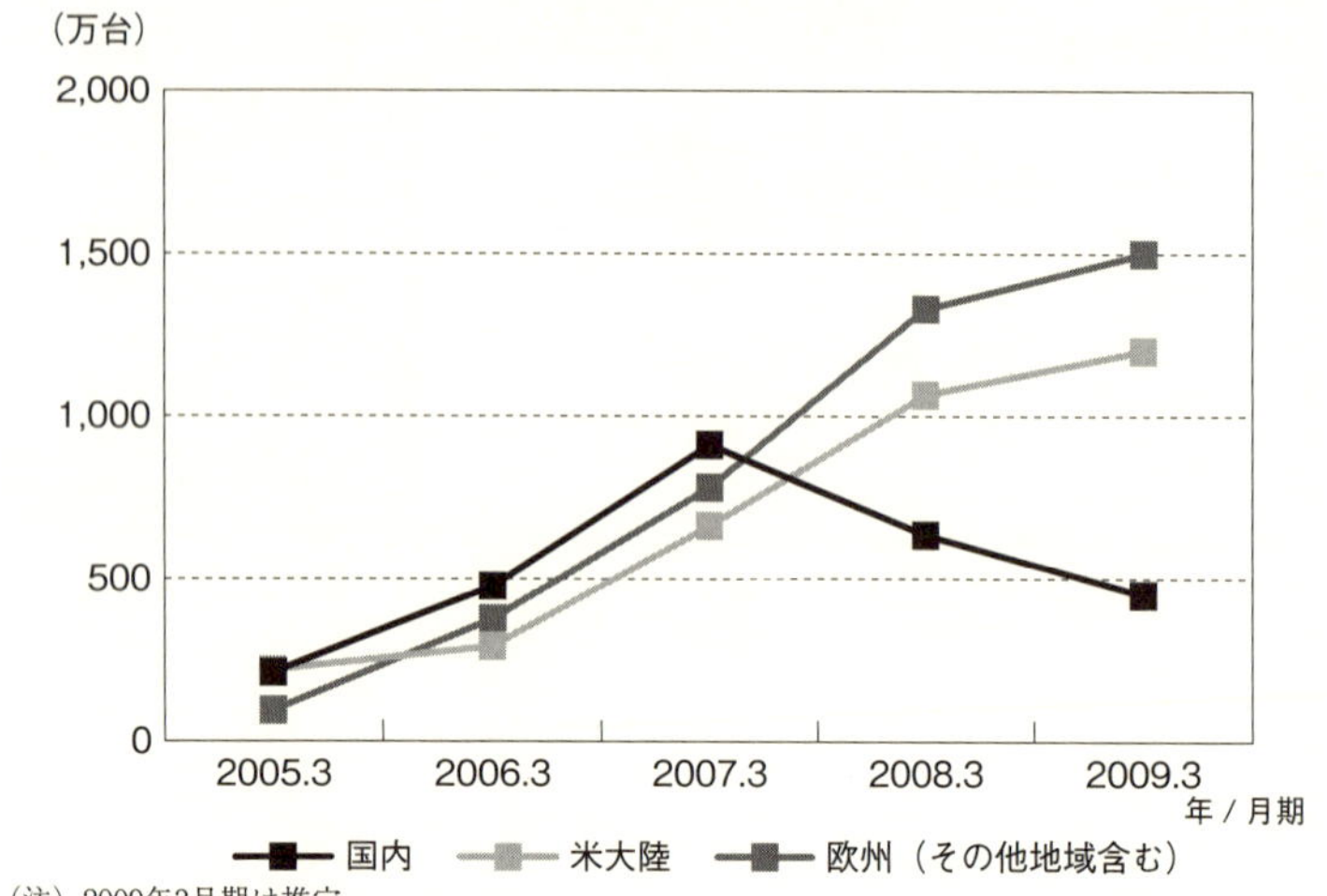

（注）2009年3月期は推定。

たのだ。

たぁくみ君はサービス開始から２カ月目の時点で、既に60本近い作品を投稿。その再生回数は全作品合計で約２０００万回に達し、コメント総数は２０００件を超える。こうした人気作者が、１日に何万人も生まれ、何万人ものファンが群がるという現実。巻き起こりつつある「うごメモブーム」は、確実にＤＳ市場の再活性を促している。

前述の通り、国内でＤＳ人気が爆発したのは２００５年末。主戦場を欧米にシフトするのと、ほぼ同時に、国内の販売台数は減少傾向へ反転し、ＤＳが品切れになるようなこともなくなった。

岩田がよく言うように、２００６年度に年間９００万台以上を販売したのは「異常なこと」であり、国内での販売がそれより落ち込んでも、憂うことはない。人口比率から考えれば3・3億人の北米や、5億人の欧州の半分程度の勢いで売れれば上出来だ。

ところが、欧米市場の急速な立ち上がりとともに、国内と海外の販売数の差が、人口比率の差以上に大きく開いていく。

2008年4〜6月期は、日本を1とすると北米が4・7、欧州（一部、アジアなどその他地域含む）が6・3。国内の販売台数は、前年同期の4分の1程度にまで下がっていた。

原因は飽和にある。既に2008年6月時点で国内での普及台数は2300万台。ほぼ、国民の5人に1人までDSが行きわたった。普及の限界に達したのか。

だが、岩田はそうは考えなかった。停滞する日本市場へのカンフル剤。それが、「マイDS」をテーマに掲げ、2008年11月に発売された新モデル、DSiである。

DSiの目玉は、本体に付いたカメラ機能と、「SDメモリーカード」経由の音楽再生機能。実用を目指したのではなく、写真や音楽を編集して遊び倒すことを目的とし、本体に標準で搭載した編集ソフトとともに新たな付加価値とした。だからカメラ部品の解像度は30万画素と、「枯れた技術」をしっかりと使っている。

立ち上がりは上々だ。投入した2008年10〜12月期、国内でのDS全体の販売台数は、前年同期並みの197万台に回復。うちDSiは166万台と日本市場の再燃に貢献し、日米欧の販売比率は理想的な1対2対2に再び近づいた。

しかし、岩田がこれだけで満足するはずがない。国内でのハード販売の落ち込みと時を同じくして、脳トレやニンテンドッグスに続く新手の人気ソフトが、なかなか生まれないというジレンマにも悩まされていたからだ。

歴代のDSソフトで国内累計販売数が100万本を超えたのは、2009年4月時点で25タイトル。うち、2007年以降に発売されたのは、歴代7位の《ポケットモンスター プラチナ》を最高位に、わずか7タイトルしかない。さらに、マリオやポケモン、ドラクエなど、ある程度のヒットが約束されたシリーズ作品以外のミリオンに絞ると、2008年7月に発売された、音楽のリズムに合わせて遊ぶ《リズム天国ゴールド》1本のみである。

厳密に言えばこれも、2006年8月にゲームボーイアドバンス向けに発売された《リズム天国》の続編。かつて一世を風靡した、脳トレをはじめとする新手のソフト群「タッチジェネレーションズ」は、徐々に死語と化している。

任天堂は、ソフトで力を発揮する会社。DSiというハードがあっても、その魅力を最大限に引き出す脳トレのようなソフトを用意できなければ、任天堂の名が廃る。DSiを昇華させるためにも、ソフトで新機軸を打ち出さなければならない。その試金石が、うごくメモ帳なのである。

たぁくみ君のような1人の子供が、一瞬にして全国区のヒーローになってしまうという事実。それは、岩田が目論む、ある重要な戦略が緒に就いたことを意味している。

クリエイター人口拡大戦略

「我々がなぜインターネットを使ったユーザー・ジェネレイテッド・コンテンツ（UGC）に可能性を感じているのかというと、お客さんの中で、UGCによって生み出される面白さを新鮮に感じていただける方の割合が高い、ということがあります」

2009年1月、決算説明会の場で、岩田はこう語った。UGCとは、その名の通り、消費者たるユーザーが制作したコンテンツの総称だ。

世界最大の動画投稿サイトYouTube、1000万人以上の会員を抱える「ニコニコ動画」、ソーシャル・ネットワーキング・サービス（SNS）国内最大手の「mixi」、ブログサイト……。

コンシューマー・ジェネレイテッド・メディア（CGM）と呼ばれる消費者参加型メディアがネットの世界の主流を占めるようになり、プロフェッショナルの作り手によるコンテンツを中心としたサイトは没落していった。CGMの中身のほとんどは、これまでプロのコンテンツを享受してきた消費者、ユーザーが生み出すUGCである。

ゲームの世界でもUGCを活用できるのではないか——。ここに、岩田は目をつけた。

言わずもがな任天堂は一流のゲームクリエイターを抱え、ちゃぶ台返しを繰り返しながらゲームソフトを洗練させてきた。一方で、社外のゲームソフトメーカーの作品にも厳しい審査を課すことで、一流の仕事を求めてきた。

ユーザーに驚いてもらい、楽しんでもらうための「仕込み」をゲームの随所に散らすのが、これらプロたちの仕事であり、かつては、こうした仕込みにユーザーも素直に反応してくれていた。だが、岩田は「だんだんお客さんも刺激に慣れ、驚けなくなってしまった」と言う。

「驚けなくなるどころか、一通り味わったら、『ああ、底が割れた』と思うわけです。底が割れるとお客さんは、もう遊ばないとか、中古屋さんに売ってしまおうとなりやすくなる。我々は、できることなら、お客さんに底が割れたとは感じてもらいたくないわけです」

そこでUGCの出番である。「素人」が次々と作る作品の内容は予測不可能であり、何が出て来るかわからない玉手箱のよう。簡単には底が割れない持久力がある。

何より、プロのクリエイターが想像もつかないような驚きや楽しみを、素人が勝手に見つけたり、作り出してくれたりする可能性を、UGCは秘めている。だから岩田はDSiというネット利用を前提としたハードの投入と同時に、素人がクリエイターとしてゲームプラットフォームに参画できるソフトと場所を用意したのだ。

言わば、プロの作り手が独占していたDSプラットフォームの開放宣言。「ゲーム人口拡大戦略」の次の一手は、「クリエイター人口拡大戦略」というわけである。うごメモは、その前哨戦だ。

2008年のクリスマスイブにサービスが始まるや否や、うごメモは好調な滑り出しを見せた。サービス開始から投稿数が10万に達するまで、わずか16日。恐るべき速度で次々と作品を蓄積し、ファンを増やしていく盛り上がりぶりは、いかにユーザーに新たな驚きや面白さを提供したかを物語っている。

岩田は、UGCで楽しむユーザーを、2つのタイプに大別している。曰く、「何かクリエイティブなものを作り、他の人が喜んでくれたり、反応したりしてくれることにやりがいを感じるタイプ」と、「他人が作ったクリエイティブなものに拍手喝采を送りながら、そのベネフィットを享受するタイプ」の、2つ。言い換えれば、素人クリエイターとプレイヤーだ。

この2つのタイプが共存し、互いに絡み合うことで次々と新たな素人クリエイターが育ち、新たな作品が生まれ、プレイヤーも増えるという好循環が生まれる。

うごメモで言えば、プレイヤーは作品を巡回する中でたぁくみ君の作品を見つけ、面白いと感じ、支援した。たぁくみ君も、作れば作るほど反応が返ってくるからこそ、60本以上もの作品を作ることに没頭できた。その結実が、彼が集めた200万もの再生回数と、2000以上のコメントだ。

うごメモの世界では、こうしたたぁくみ君のような人気クリエイターが1日に何人も生まれ、それに伴って、プレイヤーも増大の一途を辿っている。

うごくメモ帳では、気に入った作品をDSiにダウンロードして保存し、その作品に絵を描き足したり、色や音を付けて派生作品を作ることも可能。プレイヤーを一転、クリエイターに転換させてしまうこの機能は、うごメモの新たな流行も生み出しつつある。

「スカイ」さんが作った、マリオとルイージが描かれ、空の吹き出しが付いた4コマ漫画。この作品にセリフを書き込んだり、新たな絵を付け足したりした900本以上の「子作品」が、最初の投稿から約2カ月で増殖した。

作り手も受け手もユーザーにとっては、遊び。プロが介在しなくとも自律的に成長していく新手のゲームが、うごメモなのである。

従来型のゲームソフトはもちろん、脳トレなど新手のソフトとも一線を画する第3勢力の勃興。岩田は、DSiを拡販する上で、このユーザーを主役としたゲームを、ソフト戦略の主軸に据えようとしている。

無論、UGCの世界は、プロによって厳格に管理された世界とは違い、玉石混淆。プレイヤーに支持される良作はランキングなどで浮上し、逆に駄作は没落していく自浄作用が働くとは言え、子供に不適切な内容の作品や著作権侵害など、違法な作品が投稿されるリスクもつきまとう。

無理に締め付ければユーザーは離れ、放置すれば法的な責任を負うこともある。その運営には高度なノウハウが要求され、技術的にも膨大な負荷に耐えるシステムが求められる。だから今回、任天堂はうごメモシアター／はてなの運営を、外部のはてなに任せた。

社内から、うごくメモ帳の作品をネット上に公開したいという話が岩田の耳に届いた時、岩田は自前で準備をするのであれば、「２００９年後半になるな」と予測していた。ネットを使ったゲームやサービスの企画は目白押し。スケジュールは先々まで埋まっていたからだ。うごメモの企画は面白い。でも手が足りない。「参ったな」と暗れ惑っていた岩田に、はてなという3文字がひらめく。

はてなは登録会員数が約80万人と規模は小さいが、老舗のネット企業として、存在感は大きい。京都大学を卒業後、２００１年に起業した近藤淳也が社長を務め、社外取締役にはベストセラーとなった『ウェブ進化論』の著者として知られる梅田望夫がいる。この梅田と数回会ったことがあった岩田は、「一緒に何かできたらな」という思いを抱いていた。

しかも、はてなの開発拠点や本社は、同じ京都市内。組めば、スケジュールを前倒しできるし、任天堂としても勉強になる。そうピンときた岩田は早速、はてなに連絡を入れた。

２００８年12月、はてなによる記者会見の場で、うごくメモ帳のプロデューサーを担当した、任天堂情報開発本部の小泉歓晃は、こう話した。

「こういうエディター系の広がりのある遊びというのは、今後の任天堂にとって、かなり大事な方向性だと思っている。それを望むにおいては、はてなさんと一緒に仕事をさせていただいて、こちらも学んでいくことが大事だと思っています」

はてなは今回、ユーザーによる自主的な通報、言わば「自警団」を活用したフィルターを採用している。うごメモシアターから投稿された作品を、ウェブサイトのうごメモはてなに自動的に公開するが、DSi専用サービスのうごメモシアターに掲載するまでは一定の時間を置く。この間、うごメモはてなのユーザーから「不適切」であるとの通報が1件でもあった場合、DSiに向けた掲載は保留。スタッフによるチェックを経た上で、掲載するか否かを決める手順だ。

開始から2カ月の時点では、はてなによる運営に目立ったトラブルは起きておらず、今のところ自警団システムはうまくいっている。

ただ、幾つかの検討課題も浮かび上がっており、ユーザーを巻き込んだ議論が渦巻いている。子供の過ぎたおふざけをどう判断するのか、マリオなどの著作物を利用した作品は容認していいのか、マイクを通じて収録した音楽に著作権料は発生するのか……。

だが、新たな遊び、新たな文化が生まれる時、こうした問題が生じるのは当たり前のことであり、これらを解決することが、まさに新機軸を推進する上でのノウハウの蓄積となるのだ。任天堂はその最前線に自ら乗り出している。

そして、岩田は「ワクワクしている」のだ。

岩田はDS:iの発売に合わせて公開した自社ホームページの「社長が訊く」シリーズの中で、うごくメモ帳について、こう言及している。

私自身はちょっとワクワクしてるんです。今までは、どちらかと言うとクローズドな部分があると言われてきたビデオゲームの世界がすごくオープンなインターネットの世界につながることで、どんなふうに世の中の人たちに届いてどんなふうに人が使ってくれるのか。

そして、こうも語る。

今回これでつくった作品をインターネットの世界に送って、みんなで共有することができるんです。すると、どこかに才能があるのに埋もれている人でも、自分の作品を世界中に発信するチャンスが、世の中の人に平等に渡されるようになるんですね。

そのうち、プロ顔負けの秀逸な作品や、プロには想像もつかない秀逸なコンテンツを生むクリエイターが、もっとDSの世界を盛り上げてくれるかもしれないという期待が、岩田の中で膨らんでいる。

期待するコンテンツは、パラパラ漫画にとどまらない。ゲームソフト、そのものだって、可能性はある。実際に2009年、自分で「プチゲーム」を作ることができるDSソフトが、任天堂から発売される計画がある。

2008年秋、任天堂はプチゲームを誰でも簡単に作ることができるDS向けソフト《メイドイン俺》(仮称)を2009年中に発売することを決め、概要を公表した。

背景やキャラクターを描き、音楽を作り、ルールを組み立てたら完成する世界で1つだけのゲーム。詳細は不明だが、任天堂はこれを、ネットを介して他人と共有できるようにするとしている。自作のプチゲームは、DSだけではなくWiiでも遊べるようになる見込みだ。

受け手だった素人のプレイヤーを、ゲームクリエイターに仕立て上げようとする試み。盛り上がる予兆は既に出ている。

はてながうごメモの話題を集めてネットで配信している「週刊うごメモはてなニュース」。2009年2月13日号では「迷路にクイズにスロットゲーム…。作ったアナタはえらい! そんな遊べるうごメモを大特集!」と題して、変わった作品を紹介している。

例えば、コップに水が高速で注がれるアニメーション。再生の一時停止ボタンを使って、すり切れちょうどのタイミングで止める遊びができる。操作によって画面が反応するわけではないが、他にもクイズや迷路といった単純なものから読者が選んだ選択肢によってストーリーが変わる昔懐かしのゲームブックを再現した作品まで、数多くのゲーム的な作品が増殖中だ。

2009年4月には米国でDSiが発売され、次いで欧州にも投入される。一足早く、国内から始まったクリエイター人口拡大戦略も、DSiと同時に海外展開されるだろう。アニメーションや、プチゲームは、言葉の障壁が比較的低い。プロの作り手が思いつかない驚きや楽しみを、日米欧という圧倒的な規模で世界に発信できるようにもなる。

プロが意匠惨憺《さんたん》して思案に暮れる側で、1人の素人が世界を変えるかもしれない。そんな可能性を、DSiは秘めている。

お茶の間の復権

２００９年１月の下方修正の翌日、任天堂の株はストップ安まで売られ、１年前の半値近い水準、２万８３００円まで値を下げた。

下方修正といっても過去最高の売上高と営業利益を維持している。それでも、任天堂は２００６年４月以降、９回連続で上方修正を重ねていただけに、株主にとっては憂慮すべき事態に映ってしまう。

世界同時不況の影響に加えて、市場関係者のあいだには２００８年の半ば頃から「任天堂はピークアウトしたのではないか」「２００９年３月期を境に業績が落ちるのでは」という限界説も根強く残るだけに、値動きは悪い。

この時点でＤＳの発売から丸４年が過ぎた。市場はそろそろ新たなハードの話題を欲している。ところが任天堂には、一向に次世代機を投入する気配がない。それどころか、インターネットを利用したソフト面の新施策で、２段ロケットに点火しようとしている。

それは、Ｗｉｉも同じだ。

「お茶の間復権を願いＷｉｉ上で新しい動画配信サービス、《Ｗｉｉの間チャンネル》を２００９年春に開始」

２００８年12月、タイトルにこう銘打たれたプレスリリース１枚だけの、しかし重大な発表が行われた。発表の主は任天堂ともう1社。国内最大の広告会社、電通である。

「Ｗｉｉの間」とは、テレビの前に家族が集まって団らんを楽しむ「お茶の間」を、Ｗｉｉの中に再現したもの。家族の分身であるキャラクターのＭｉｉが寄り添う中、様々なイベントが起きるのだという。

そのイベントを通して得られるのは、映像コンテンツ。どうやら、単なる映像配信事業ではなく、映像を楽しく家族で見られる娯楽パッケージに仕立て上げたサービスを考えているようだ。当然、海外での展開も視野に入っている。

しかも、国内の民間放送局と関わりの深い電通が、放送局や番組制作会社などの仲介役となり、過去に放映したアーカイブではなく、新しい映像コンテンツを準備するのだという。

どんな映像コンテンツが揃うのか、どんなイベントがどんな映像につながるのか、詳細は２００９年春のサービス開始を待つことになるが、電通がゲーム機の世界に本格的に乗り出してきただけに、それなりのインパクトがあるサービスになることは間違いない。

国内のメディア大手は２００８年、空前の広告不況に見舞われた。

電通が発表した「2008年日本の広告費」によると、2008年の総広告費は前年比4・7%減の6兆6926億円。5年ぶりにマイナスに転じた。

インターネット広告は、前年比16・3%増の6983億円と、テレビ・新聞に次ぐ第3の地位を盤石にしたものの、かつて「4マス媒体」と呼ばれていたテレビ、新聞、雑誌、ラジオの合計が4年連続で大きく減少したことが響いた。統計を取り始めた1947年以来、4マス媒体のシェアは初めて5割を切り、ネット広告の伸長と既存メディアの没落が改めて浮き彫りとなった形だ。

こうした広告を取り巻く環境の変化に食らいつこうと、電通も必死である。2008年末までに、世界で4500万台を販売したWiiは、その8割以上の家庭でリビングルームに置かれ、約4割がネットに接続されている。そして、ユーザーの男女構成比は半々であり、年齢構成も広範囲に分布している。

つまり、少なくとも世界で1800万台以上、国内で310万台以上がリビングでネットに接続されており、リビングにおけるテレビ放送のチャンネルと同等の機能を担える、ということ。広告媒体として、十分に魅力的な存在であり、Wiiならではの見たこともない広告商品が登場する可能性もある。

ゲーム機としてのＷｉｉが本当に映像を楽しむ道具に成り得るのか。映像配信サービス《みんなのシアターＷｉｉ》が、その先行指標となる。

「鉄腕アトム」「ヤッターマン」「ウルトラセブン」「仮面ライダー」「プロジェクトＸ」……。往年のアニメから戦隊モノのドラマ、ドキュメンタリーと、約３０００本の映像アーカイブの中から、好きな作品を購入してＤＶＤ並みの画質で鑑賞できるサービスが、２００９年１月末から始まった。

Ｗｉｉチャンネルの１つのようなサービスに見えるが、否。Ｗｉｉ向けに５００円から１０００円程度の手頃な価格でダウンロード販売されているソフト「Ｗｉｉウェア」の１つで、提供するのは、システム構築大手の富士ソフト。任天堂はサービスに関与していない。

Ｗｉｉチャンネルのメニューに組み込まれなかったのは、内容が単なる映像配信にとどまっており、Ｗｉｉの特徴を生かした遊びや工夫がないためだと見られるが、それでもサービス開始から約４週間、約80タイトル（２００９年２月末時点）が揃うＷｉｉウェアの中で、ダウンロード販売ランキングの１位を獲得し続ける人気を見せた。

薄型テレビを手掛ける家電連合の「アクトビラ」やＮＴＴグループが展開する「ひかりＴＶ」など、ネット経由のテレビ向け映像配信サービスは百花繚乱。その中で、みんなのシアターＷｉｉは、映像端末としてのＷｉｉという、新しい方向を体現した。

任天堂らしい遊びの要素に、電通のコンテンツ開発能力が加われば、Ｗｉｉの間チャンネルはみんなのシアターWｉｉ以上の人気が見込まれ、キラーコンテンツとなる可能性も十分にある。

２００９年春には、全国８５００店舗以上の飲食店に、ネットを介して月間50万件以上の注文を取り次いでいる宅配・デリバリーのポータルサイト「出前館」が、Wｉｉ向けにもサービスを開始する。２００８年にカラオケ配信大手のエクシングとゲームソフト大手のハドソンが共同で発売した《カラオケJOYSOUND Wｉｉ》というパッケージソフトの売れ行きは好調だ。ネットにつなげば3万曲以上のカラオケが楽しめ、新譜を中心に毎月約１０００曲が追加される。

こうした生活関連サービスが拡充すれば、岩田が目論む「テレビをつけたらまずWｉｉを起動する」という習慣が定着し、テレビポータルの覇権を握る可能性すら、見えてくる。


岩田はWｉｉの発売前、「テレビに付いている、すぐ起動する、拡張性がある、ネットにつながっている」というコンセプトが頭の中でつながった時、ハード開発を統括する竹田に、思わずこう言ったことがある。

「竹田さん、これはテレビと家族とゲームとインターネットの関係を変えるものですよね」

任天堂は単なる映像配信は手掛けない。が、ゲーム的な要素が絡んだ映像配信であれば、自ら乗り出すし、他社が手掛けるのであれば、単なる映像配信だってカラオケだって認める。ネット上で展開されているすべてのサービスについて、同様のことが言える。

つまり、それが実用ではなく娯楽と捉えられるものであれば、ビデオゲームの敵にならないことであれば、どんなサービスも、どんなコンテンツもWiiの商材と成り得るのだ。岩田は言う。

「僕らは既に、ゲームというものが何なんだということに関して、あまり狭く考える必要はないんじゃないかというところに話がきている。何か人間が入力して、何か返ってきて面白かったら、それは僕らの仕事としていいじゃないですかと」

だから、健康やフィットネス、体重計をネタにしたソフトも作れば、映像コンテンツをネタにしたチャンネルだって作る。ウェブで展開されている様々なサービスとコンテンツがWiiに順次、集約された時、Wiiはゲーム機ではなく、家庭のリビングに向けた多機能なセットトップボックス（STB）と呼ぶに相応しいものになっているかもしれない。

そんな話を振ると、岩田はこう返した。

「別に私はリビングルームの覇権を狙って、それで大儲けしようと考えてWiiを作ったわけじゃないんです。そうじゃなくて誰の敵にもならない箱を作ったら、いやぁ、リビングの覇権も付いてくるかもしれないみたいなものになった。リビングの覇権は目的じゃないんですよ。だけど、気づいたらゲリラ的に、覇権を握るのに一番近いところにいるのかもしれない」

「草野球市場」からの刺客

いったい幾つのメーカーが幾つのゲームを開発し、どの国でどのゲームソフトがどれだけ売れているのか、メーカー以外の誰も把握できていない。が、恐ろしく急速にユーザーとゲームソフトの頭数を増やしているということだけは、はっきりとしている。そんな新手のゲームプラットフォームが、急速に台頭している。米アップルの多機能携帯電話iPhoneと、iPhoneから携帯電話機能だけを省いた《iPod Touch》だ。

その普及台数は、2008年末時点で、DSの3分の1に迫る約3000万台。全世界に散らばるこれらすべての端末で、1万種類以上ものゲームソフトを楽しむことができる。

携帯型ゲーム機の戦いは、新たなフェーズに突入した。

2008年7月、アップルは、iPhone／iPod Touch向けにソフトを配布するサービス「アップストア」を開始した。これで、潮目が完全に変わった。

天気、電子書籍、教育、ニュース、ナビゲーション……。アップストアには、あらゆる種類のソフトが無数に並んでいる。

その数は、無料、有料合わせて2009年3月時点で2万5000種類以上。これらを、時と場所を選ばず、音楽を買うように気軽にiPhoneへと取り込めるから、凄まじい速度で一気呵成に利用が広まった。

ダウンロードされたソフトの数は、開始から約8カ月後の2009年3月時点で8億本以上。中でも人気を牽引するのが、ゲームである。


気がつけばiPhoneやiPod Touchは、携帯型ゲーム機と言っても過言ではないくらいの端末へと変貌していた。

20あるアップストアのカテゴリーの中で、ゲームのカテゴリーは最大派閥。紹介されているソフトの本数は、2009年3月時点で1万を超えており、同時期に約1300タイトルが発売されているDSの遙か上を行く。さらにゲームソフトの傾向がDSと似ているから、任天堂にとって厄介である。

任天堂がDSで目指したのは、いつでも空き時間に気軽に楽しむことができるカジュアルなゲーム。且つ、タッチパネルを生かした直感的な操作方法で初心者に対する壁を崩し、テーマも教育から音楽まで、幅広く捉えた。

アップストアに揃うゲームの傾向も、まったく同じである。

任天堂がDSやWiiで新たなインターフェースを採用し、およそゲームらしくないゲームを作って世間に驚きを与えたように、アップルもまた、独自のインターフェースとそれを生かしたソフトで、驚きを与えている。

iPhone、iPod Touchでは、マルチタッチスクリーンを採用しており、文字入力からクリック、画面のスクロールや拡大まで、操作のすべてを指で行う。

画面のサイズ、解像度ともにDSを上回りながら、その動きは非常に滑らかであり、素早く、美しい。ここに、「動き」という要素が加わり、直感的な操作方法はさらに進化したものとなった。2つの端末には加速度センサーが仕込まれており、端末の傾きや動かした方向を把握できる。

音楽ゲームの《Tap Tap Revenge》は、その代表格だ。

ポップスやロックなど実際に発売されている楽曲のリズムに合わせて、画面の任意の場所を叩いたり、傾けたりするだけのシンプルなゲームは、2008年7月の公開からわずか2週間で100万回以上もダウンロードされた。2009年1月には500万回を超え、未だに世界各国のゲームソフトランキングで上位に食い込んでいる。

こうした直感的で独創的なゲームに加え、もちろん、オセロや麻雀といったテーブルゲームから、テニスや野球、カーレースなどのスポーツ、シューティングといった伝統的なゲームソフトも、一通り揃っており、ダウンロードランキングの上位に位置づけている。

さらに興味深いのは、ゲームのカテゴリーに属していないソフトでも、ゲーム的な感覚でユーザーが面白がっているところである。

日本向けのダウンロードの総合ランキングでベスト10以内を維持する三省堂の日本語辞典ソフト《大辞林》。アップストアでは、それぞれのソフトについて、ユーザーの評価やコメントを参照できるが、大辞林へのコメントには、こうある。

「まさに言葉の海を泳いでいるみたい。手に取ってみないと、この楽しさは分からないかも。iPhoneやiPod Touchだからこそ出来る、遊べる辞書だと思います」

「辞書アプリなのに、使っていて楽しい。何時間でも単語を調べていたくなる」

「次へ次へと、『読む楽しさ』と『知る楽しさ』が押し寄せて来ます」

五十音順や人名順など、インデックスのページをなぞれば、無数の単語が流れるように表示されていく。単語の解説ページに入って、文章の中の任意の単語を指でなぞると、その単語の解説ページへとジャンプ。すべての動きが直感的で軽快。何でもない、ただの辞書が、iPhoneの画面に映ると面白く感じてしまうのである。

任天堂のお株を奪うような格好でユーザーとソフトを増殖し続けているアップル。任天堂にとっての驚異は、これに止まらない。

岩田がこれからやろうとしている「クリエイター人口拡大戦略」。皮肉にも、これをアップルが先に、しかも徹底して実践している。

前述の通り岩田は、ユーザーが生み出すコンテンツ、UGCを今後の戦略の柱に据えた。DSi向けのうごくメモ帳や、2009年中に発売予定のプチゲームが作れる《俺のメイドインワリオ》が、その序章となる。

ただし、これらはゲームソフトの中のコンテンツ作りをユーザーに開放するという施策。ユーザーがDS向けのソフトを自由に開発して、販売できるわけではない。つまり、ソフト流通の首根っこを自社で押さえ、粗製濫造を防ぐべく、メーカーやソフトの中身を審査してコントロールするというファミコンからの伝統的な方針を、任天堂が変えたわけではない。

対してアップルの施策は、任天堂の対極を行く。日本法人でiPodのプロダクトマネージャーを務める一井良夫は言う。

「Mac1台とiPhoneかiPod Touchをご用意いただき、それに年間1万800円のメンバーシップ料をお支払いいただければ、どなたでも世界中のiPhoneやiPod Touch向けのソフト市場に参入できます」

アップストアでは、プロもアマもない。ソフトを公開する前に、アップルの審査を経る必要があるが、よほど出来が悪い、あるいは公序良俗に反する内容ではない限り許可される。実際に2009年2月には、アップストアでの公開を希望した96%が承認されているという。

確かに、アップストアにあるソフトは玉石混淆。「クソゲー」と酷評され、ユーザーから見向きもされないようなソフトはたくさんある。

言ってみれば、草野球で空振りでもいいから次々と無名選手が打席に立つようなものだ。対して、任天堂やソニーなど伝統的なゲームプラットフォームメーカーは、メジャーリーグの打席に立っても恥ずかしくない選手しか送らない。

だが、世界の3000万台に開かれた自由市場には、個人や無名のベンチャーであろうと、巨万の富を手に入れる「夢」がある。クソゲーであれば叩かれ、出来が良ければユーザーは受け入れてくれる。競争原理が働く中で、斬新で独創的なゲームが日々誕生しているのも事実である。

さらにアップストアで醸成された独特の文化、無料プロモーションが、成功の確率を飛躍的に伸ばしている。

多くのゲームは、遊べる範囲をゲームのさわりの部分だけに止めるなど、機能を限定した無料版を用意。実際に試してみて、もっと楽しみたい人は有料版を買ってくださいというこの方法は、口コミ宣伝の効果を増幅させ、確実にお金を払うユーザーを増やしている。

しかも、その有料版の主な価格帯は105円から数百円で、高くても1000円程度と敷居が低い。薄利であっても、例えば105円のソフトが10万件売れるだけで、売上高は1050万円。アップルの販売手数料は一律3割なので、粗利は735万円。大手にとっては雀の涙でも、個人や無名のベンチャーにとっては大金だ。だから、彼らは必死で新手のゲーム作りに日夜没頭する。

事実、たった4人だけで作った前述の音楽ゲーム、Tap Tap Revengeは無料版で500万件のダウンロードを達成し、そのうち10万件以上を有料版につなげた。このグループは、音楽のプロモーションに利用したいレコード会社と組み、さらなる利益を得ることにも成功している。ギターをリアルに模したソフト《ポケットギター》を作ったのは、あるソフト会社に勤める1人の日本人。余暇を利用して制作したこのソフトは、全世界で50万件以上ダウンロードされ、少なくとも3500万円以上の利益を上げた。

こうした〝アップストアドリーム〟が全体のレベルを日々、底上げし、草野球であろうと、いよいよ大手も無視できない市場となった。

2008年末頃から、スクウェア・エニックスやコナミ、米エレクトロニック・アーツといった大手ゲームソフトメーカーが続々と参戦、プロとセミプロ、アマチュアが同じ土俵の中で熾烈な競争を繰り広げている。

かつてない参入障壁の低さが競争を生み、アイデアの掘り起こしを手伝っているアップストア。任天堂も200円から800円程度の価格帯で、DSi向けのダウンロード販売を開始しているが、完全にプロ向けに閉じられた市場、メジャーリーグであることに変わりはない。

素人へ解放すべきか否か。岩田はアップルの動きを注意深く見ていることだろう。

エピローグ――続く〝飽きとの戦い〟

客観的に見れば、任天堂はとても心地いい状態にある。

ＤＳやＷｉｉというハードに恵まれ、海外でも大成功を収めた。ビジネスのテーマも、マリオから健康まで無限に広がり、あらゆる企業から秋波《しゅうは》を送られる立場にもなった。これからだって、ネットを使ったＤＳとＷｉｉ向けの新たなサービスやゲームで、また世間を驚かすことができる可能性を十分に秘めている。

だが、心地いい風を満喫している場合ではないということは、誰よりも岩田自身が、よくわかっている。任天堂のトップとして、常に地獄へ転落する危機感を持ち続けなければいけない。そうでなくとも、現実に喫緊の課題が雪崩のように押し寄せているのだから。


ゲーム端末としてのｉＰｈｏｎｅの台頭が今後、ＤＳ本体とソフトの売れ行きに、どのような影響を及ぼすのか、岩田は気が気ではないはずだ。そもそも、海外市場の先行指標となる国内の状況を見れば、かつてのようにミリオンセラーのソフトを連発するような勢いはなく、ＤＳを持ち運ぶ人を見かけることも少なくなった。欧米での収穫期に頼るにも限界がある。

岩田が「恐らく日本は今、据え置き型のマーケットで世界一、元気がない」と２００９年１月の決算説明会で言ったように、欧米では絶好調のＷｉｉも、お膝元の日本では失速した感が否めない。２００８年10～12月、欧米で約９５０万台だったＷｉｉの販売台数は、国内ではわずか88万台だった。

Ｗｉｉフィット以降、市場規模を拡大させるような新手のソフトも生まれていない。２００８年秋に国内で投入したＷｉｉミュージックは２００９年3月時点の販売数が40万本にも達しておらず、経営陣の期待を裏切る結果となっている。

決して調子が悪いわけでも、競合に負けているわけでもない。ただ、ＤＳとＷｉｉがデビューした時にみんなが驚いた、あの感覚が、月日とともに薄れているのではないかと思わせるような傍証が増えている。

一度はゲーム機に振り向いた大人たちが、飽きつつあるのではないか、という傍証が。


だが、それも、岩田自身が一番よくわかっている。

アップルがゲーム市場に本格参入するのではないかという噂が広まり始めた２００８年4月、そのことを問われた岩田は決算説明会の質疑応答で、こう答えた。

「こんなリスクがあるからということよりは、『今ご支持いただいているものにお客さんが飽きるより早く、次の提案が出せるか』が最も重要だと思っています。出せれば任天堂がご支持をいただける期間は延びていくし、出せなければ、『任天堂はあの時がピークだったね』と、近い将来に言われるだけなので、そこをしっかりとやりたいです」

ソニーやマイクロソフト、あるいはアップルが敵なのではない。最も恐れるべき敵は、飽きであることを、岩田は自覚している。自らが生んだ過去の驚きが、次なる敵となることを。

そのための仕込みは、もう始まっている。


確かに、最初のＤＳが投入されてから５回目のクリスマスを超えても、なお次期ハードの声は聞こえてこない。メディアも市場関係者も、次世代機関連のニュースは当面、おあずけだと踏んでいる。岡三証券のアナリスト、森田正司はこう予測する。

「次期ハードの発売予定は当面なく、次は２０１３年頃になると思います。それまでは、ＤＳやＷｉｉのマイナーチェンジでやっていくのでは。ＤＳからＤＳ Ｌｉｔｅ、ＤＳｉとなったのと同様、次も『ＤＳ何とか』といった感じでしょうか。ソニーやマイクロソフトも、次世代機を考える以前に、現在のビジネスをどう立て直すかという視点で動いています」

ただし、ＤＳとＷｉｉ向けのソフトやサービスによる驚きの演出は、これからも続く。

スクウェア・エニックス社長の和田洋一は、こう話す。

「タッチパネルや加速度センサーなど、入力系の小ネタは、ＤＳとＷｉｉでほぼ出し切ったと思う。あとは、ネットワークを使った部分で、どれだけアイデアを出せるかが、次なる任天堂の勝負となってくるのではないでしょうか」

当然、ソフト体質を自認する任天堂は、もう1発、2発と、ソフトやサービス面での施策で当てる気でおり、2009年6月に開催されるE3では、何らかの新しい提案がある可能性が高い。

E3を見越した、2009年1月の決算説明会での岩田のコメントである。

「我々は常にいろいろなトライをします。次から次へと新しい提案をして、その提案が我々の思惑通りに受け入れられること、思惑より下回ることがありますが、結局ゲーム市場というのは、たった1つの大きく爆発するソフトを生みだした者が制するのだと思います」

岩田の言う大爆発したソフトとは、DSにおける脳トレやニンテンドッグスであり、Wiiにおける Wiiスポーツや Wiiフィットを指す。岩田は、「仮にこれらが生み出されなかったことを考えると、ぞっとします」と打ち明け、こう続ける。

「大爆発するソフトがあるから、ハードを買ってまで遊びたいと考えてくださるお客さんが次々と現れ、その人が周りの人を次々と誘いながら、モノというのは広がっていくわけです。それが起きたから、DS現象、Wii現象があった。ですから、そういうものを、次も生みだす努力をしなければならない。当然、今年も新たな提案をいたします。ご期待に応えられるように頑張ります」

脳トレや Wiiフィット並みのインパクトのあるホームラン級のソフトを、未だにDSとWii、2つのプラットフォームで狙う岩田。だが、だからといってハードによる驚きの研究の手を休めていると見るのは、早計だ。

「娯楽の世界ですから、ある日突然、画期的な何かが出たら、今までのものはすごく古びて見えるということは起こり得る。だから、僕らは、いつでもハードの研究をしていないといけない。新しいハードを出したら、すぐに次のハードを作り始めています。でも、いつ出すと決めているわけじゃなくて、『あっ、この時だ』という条件が揃った時に、初めていつと時期が決まるんですけどね」

岩田がこう語るように、恐らく既に幾つかの試作品が岩田の手元に届けられている。あるいは宮本らが既に新たなハードのコントローラーを開発している可能性だってある。

驚きを生む飽くなき研究開発への執着。その強い意思を、岩田はある投資で見せた。

2009年2月、約128億円という巨額投資が明らかになった。といっても、ソフト会社などのM&A案件ではない。任天堂本社から直線で200mと離れていないゴルフ練習場、約4万平方メートルの用地を取得したという。

そう、「DSでタッチパネルを使う」というアイデアがひらめいた時、岩田と宮本がランチをとっていた、あのゴルフ練習場。その用地を、新たな研究開発拠点として購入したのだ。

任天堂が現在の本社に移転したのは2000年。それまでの旧本社を「京都リサーチパーク」と呼び、研究開発部門の一部が残された。分断された格好の研究開発部門を新たに取得した用地を使って統合、ソフト部門とハード部門がより一体となった研究開発を推進する計画だ。

ＤＳ生誕の地で、ポストＤＳやポスト脳トレ、あるいはポストＷｉｉやポストＷｉｉフィットの開発に専心するというニュースに、期待を感じざるを得ない。驚きや喜び、ニコニコを生み出す心臓部が、かの地でより強固なものとなるというのだから。

岩田は言う。

「10年後まで種がありますとハッタリを利かせても、それは嘘なわけです。ただ、種を新しく仕込んだり、見つけたりすることが、組織として上手になったんだと思います」

苦境に負けず、工夫しながら生き抜いたカルタ屋。その精神を受け継いだ任天堂は、幾多の苦行を乗り越え、娯楽の世界で生き抜く覚悟を決め、ソフト体質や枯れた技術の水平思考といった軸を築きながらヒットを飛ばし、娯楽の厳しさに揉まれながら他にはない強さも身につけた。

変化や革新が良しとされる時代、誇り高き職人集団は組織の中で、娯楽屋であり続けるために必要な軸を、ぶれることなく守り抜く。その一方で、世界の市場に向けて常に驚きや喜びを提供し続ける革新者としての自負を抱き、挑戦を続ける。

浮き沈みの激しい娯楽の世界では、ままならず、案に違うことも多い。だから、運を重んじ、努力の末、最後は運を天に任せる独特の世界観のもと、重圧に押し潰されたり悲愴感に打ちひしがれたりすることなく、ニコニコしながら種を仕込み続けるのである。

まさに世は、ソフトの時代である。

今はモノが溢れかえる飽和の時代。基本性能や耐久性がものを言う時代は終わり、デザインや使い心地、利便性が消費者の心を掴む分かれ目となってきた。

世の中のハードのほぼすべてがコンピュータを搭載し、ハード自体の性能よりは内包するソフトの質が、商品力の差をつけるようになった。

家電に限って言えば、メーカーは新製品を投入せずとも、ネットワークを通じてソフトを更新することで、まるで魔法をかけたように顧客の手元にあるハードをまったく新しい製品に変えてしまうことだってできる。

問題はハードをどう変えるか、どう使ってもらうか。そのアイデアをひねり出せるかどうかが、企業の明暗を分けると言っても過言ではない。

久しく、モノ作り大国として崇められ、ハードに偏重していた日本経済界において、モノを作りながらソフト至上主義を唱える任天堂は、希有な存在と言える。その潜在的な強さが世界市場の中で明確に顕在化するまで、時間はかかった。が、今まさに時を得た。

再び自らを乗り越えるアイデアを、消費者の笑顔を創出できるのか。驚きを生む独自の方程式を培い、育んできた任天堂の地力が試されている。

中興の祖、山内が、ニコニコしながら、自身のインタビューをこう言って締めたことが印象的だった。

「アイデアが枯渇して、何をしていいのかわからなくなったら、社業をやめなきゃしょうがないよね。そんなことで行き詰まったら何をするの。何もすることがないやないの。ハードの会社？なれないよ、そんなの」

得意技を発揮できないのであれば、守り抜かねばならないものを失うくらいならば、廃業したらいい。刀が折れ、矢が尽きてしまうのであれば、任天堂は終わるまでだ。

そんな揺るぎない覚悟を持って、任天堂は今日も、方程式に様々な種を入れては解を模索している。

付記

本書の執筆にあたり、自らの取材メモの他に、主に以下の文献を引用、または参考にしました。

新聞

・日本経済新聞
・日経産業新聞「任天堂社長山内溥氏――遊びの名人『ソフト命』、技術独占で大当たり（トップ研究）」（1986年4月11日掲載）など
・朝日新聞「任天堂社長　岩田聡さん（フロントランナー）」（2004年6月19日掲載）
・京都新聞「京都産業風土記（1〜5）任天堂」（2000年4月7日〜5月12日掲載）、「京都産業風土記（18）たばこ王と鉄道王（2000年8月18日掲載）、「丹波発ふるさとの君たちへ」（2001年12月23日掲載）
・THE PEOPLE「MAKE WAY FOR THE Q Wii N」（2008年1月6日掲載）
・THE WALL STREET JOURNAL「Keeping Up Nintendo's Momentum」（2008年8月4日掲載）
・FINANCIAL TIMES「Nintendo makes more profit per employee than Goldman」（2008年9月15日掲載）

雑誌

・日経エレクトロニクス「ファミコン開発物語」（1994年1月31日号〜1995年9月11日号）

・じゅげむ（1995年5月号）
・文藝春秋「なぜ私は任天堂を辞めたか」（1996年11月号）
・日経ビジネス「編集長インタビュー　岩田聡氏［任天堂社長］」（2005年10月17日号）、「第2特集『お母さん』を狙え！　任天堂がWiiに託すお茶の間攻略」（2006年11月27日号）、「特集　任天堂はなぜ強い『たかが娯楽』の産業創出力」（2007年12月17日号）

●書籍

・『横井軍平ゲーム館』（横井軍平著、牧野武文インタビュー・構成、アスキー刊）
・『任天堂商法の秘密：いかにして〝子ども心〟を掴んだか』（高橋健二著、祥伝社刊）
・『トランプものがたり』（松田道弘著、岩波書店刊）
・『NHKスペシャル　新・電子立国4　ビデオゲーム・巨富の攻防』（相田洋・大墻敦著、日本放送協会刊）
・『大塚薬報　第516号』（大塚製薬刊）

●ウェブ

・任天堂「株主・投資家向け情報」（http://www.nintendo.co.jp/ir/index.html）、「社長が訊くWiiプロジェクト」（http://www.nintendo.co.jp/wii/topics/interview/vol1/index.html）など
・ほぼ日刊イトイ新聞「社長に学べ！岩田聡さん」（http://www.1101.com/president/iwata-index.html）、「樹の上の秘密基地」（http://www.1101.com/nintendo/）
・TIME「The World's Most Influential People」（http://www.time.com/time/specials/2007/0,2875

7,1733748,00.html)

・インプレス「PC Watch、後藤弘茂のＷｅｅｋｌｙ海外ニュース、任天堂 岩田聡社長インタビュー（1）」(http://pc.watch.impress.co.jp/docs/2006/1206/kaigai324.htm) など
・日経ＢＰ社「日経ビジネスオンライン」(http://business.nikkeibp.co.jp/)
・日経ＢＰ社「ITpro」(http://itpro.nikkeibp.co.jp/)
・日経ＢＰ社「nikkei TRENDYnet」(http://trendy.nikkeibp.co.jp/)
・日経ＢＰ社「nikkei BPnet」(http://www.nikkeibp.co.jp/)

上梓につき、スクウェア・エニックス社長で社団法人コンピュータエンターテインメント協会会長の和田洋一氏、岡三証券シニアアナリストの森田正司氏、横井軍平氏の元部下で同氏が設立したコトの顧問を務める瀧良博氏、その他、多くの関係者の方々に協力していただきました。皆様のご好意に深謝いたします。

任天堂の歴史

- 1889 山内溥（現・相談役）の曾祖父である山内房治郎が、「任天堂骨牌」を京都市下京区正面通り大橋西入に創業。花札の製造を開始
- 1902 日本で初めてトランプの製造を行う
- 33 合名会社「山内任天堂」設立
- 49 山内溥が22歳で3代目社長に就任
- 53 日本で初めてプラスチック製トランプを発売
- 59 米ウォルト・ディズニーと契約し、ディズニーキャラクターを使用したトランプを発売
- 62 大阪証券取引所2部、京都証券取引所に上場
- 63 「任天堂」に社名変更
- 66 横井軍平のアイデアで、伸縮式のマジックハンド「ウルトラハンド」を発売
- 70 エレクトロニクス玩具「光線銃」「光線銃ＳＰ」を発売、一大ブームに
- 77 任天堂最初の家庭用ゲーム機《テレビゲーム15》を発売
- 80 《ゲーム&ウオッチ》を発売。米国に現地法人Nintendo of America Inc.（ＮＯＡ）を設立
- 81 業務用ゲーム機《ドンキーコング》を米国で発売
- 83／7 《ファミリーコンピュータ》を発売。株式を東京証券取引所1部に上場

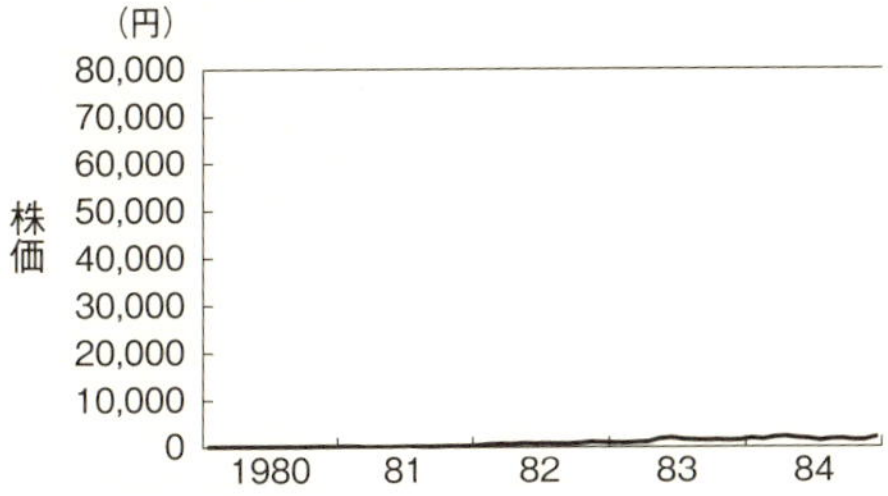

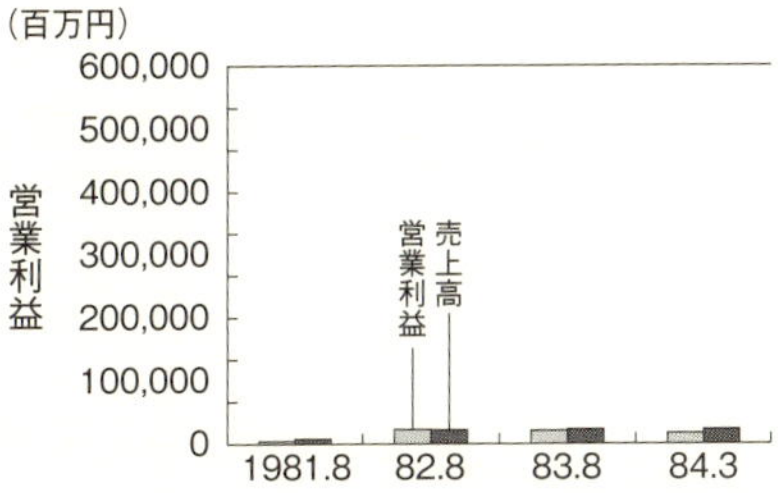

（注）1981年8月期～ 83年8月期の税金等調整前当期純利益は税金等調整前当期利益。81年8月期

※次頁へ続く

90／11《スーパーファミコン》を発売

89／4 携帯型液晶ディスプレイゲーム機《ゲームボーイ》を発売

86／2《ファミリーコンピュータディスクシステム》を発売

85／9 ファミコン用ソフト《スーパーマリオブラザーズ》を発売。この年のファミコンの販売台数が３７４万台に(同ソフト発売前の累計販売台数は２１０万台)

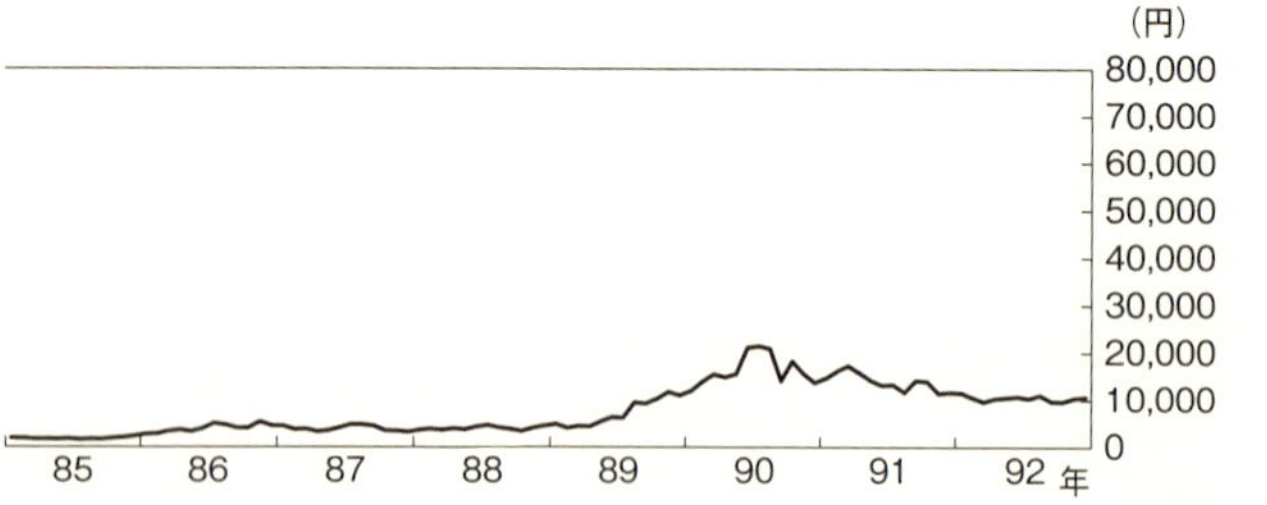

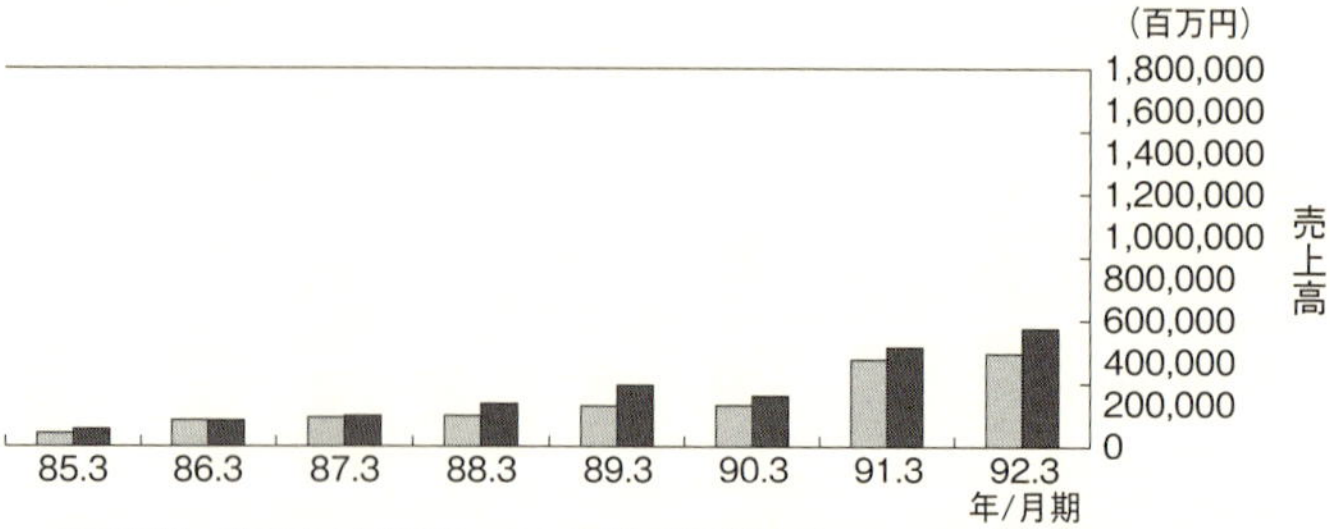

～83年8月期の純利益は当期利益。90年3月期は決算期変更のため７カ月決算

任天堂の歴史（前頁からの続き）

2000 ハル研究所相談役だった岩田が、任天堂の取締役経営企画室長に就任

99／9 ゲームソフト大手コナミと提携

98／10 カラー液晶を使用した《ゲームボーイカラー》を発売。劇場版「ポケットモンスター」日本封切。ポケモンの海外展開を開始

97／4 テレビアニメ「ポケットモンスター」放映開始

96／6 《ＮＩＮＴＥＮＤＯ64》を発売

96／2 ゲームボーイ用ソフト《ポケットモンスター赤・緑》を発売

95／7 史上初の３Ｄゲーム機《バーチャルボーイ》を発売

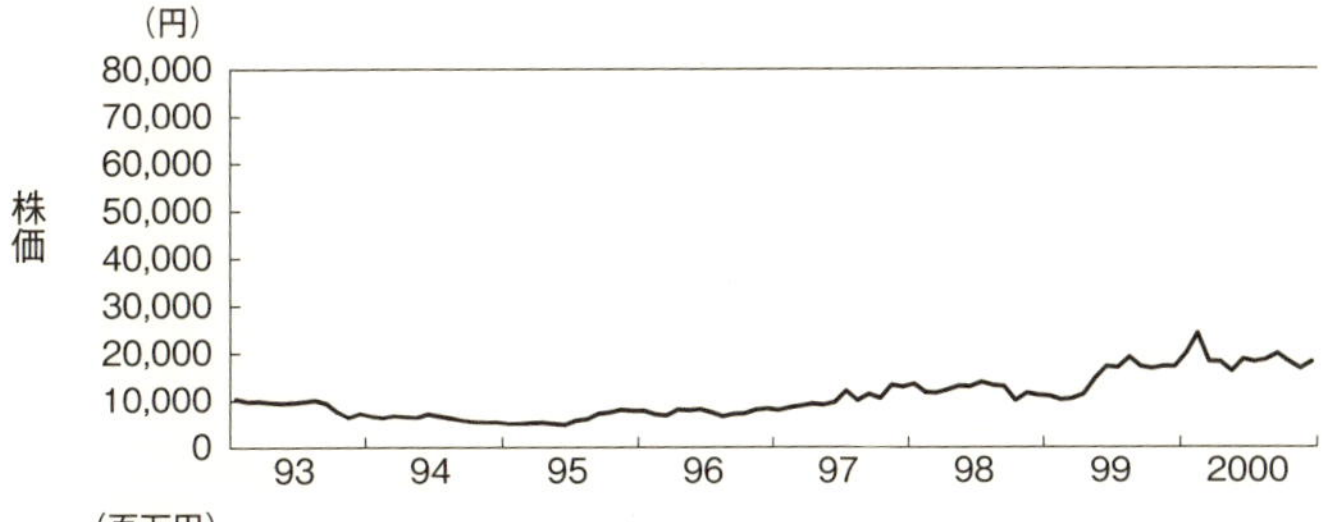

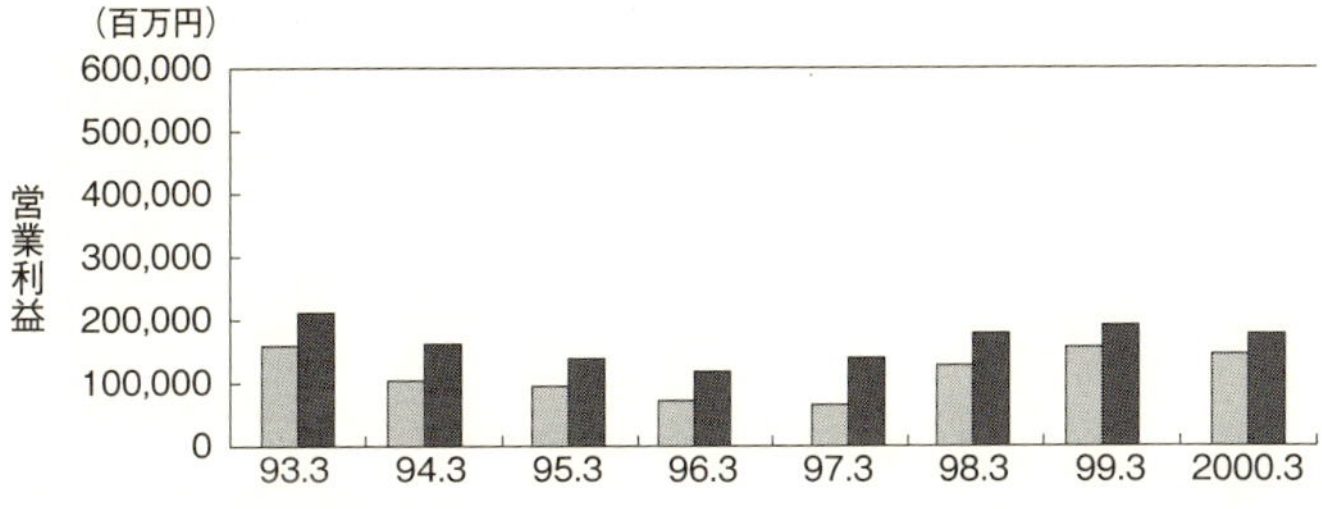

01/3　ゲームボーイの後継機《ゲームボーイアドバンス》を発売

01/9　ＮＩＮＴＥＮＤＯ64の後継機《ニンテンドーゲームキューブ》を発売

02/5　山内溥が社長を退任、岩田が後任に

04/2　ゲームボーイアドバンス向けにファミコン向け名作ソフトタイトルを復刻した《ファミコンミニ》を発売

04/12　2画面、タッチスクリーン、音声認識機能などを搭載した携帯型ゲーム機《ニンテンドーＤＳ》を発売。販売台数がゲーム機として史上最速で５００万台を突破

05/5　ＤＳ用ソフト《脳を鍛える大人のＤＳトレーニング》を発売

06/3　ＤＳをスリム化した《ニンテンドーＤＳ Ｌｉｔｅ》を発売

06/12　任天堂の次世代家庭用ゲーム機《Ｗｉｉ》を発売

07/10　ＤＳの国内累計販売台数が２０００万台を突破

07/12　Ｗｉｉ用ソフト《Ｗｉｉフィット》を発売

08/11　《ニンテンドーＤＳｉ》を発売

08/12　はてなと提携し《うごくメモ帳》向けのサービス提供を開始

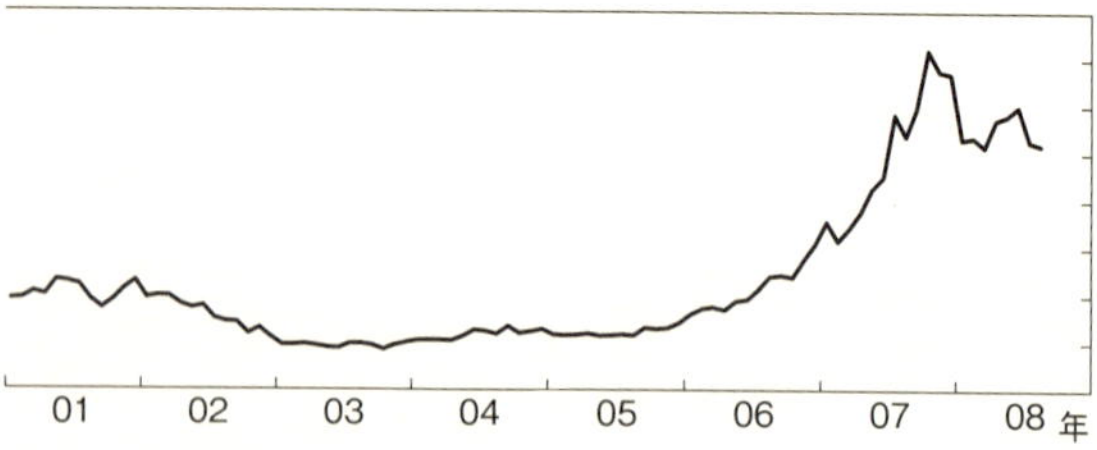

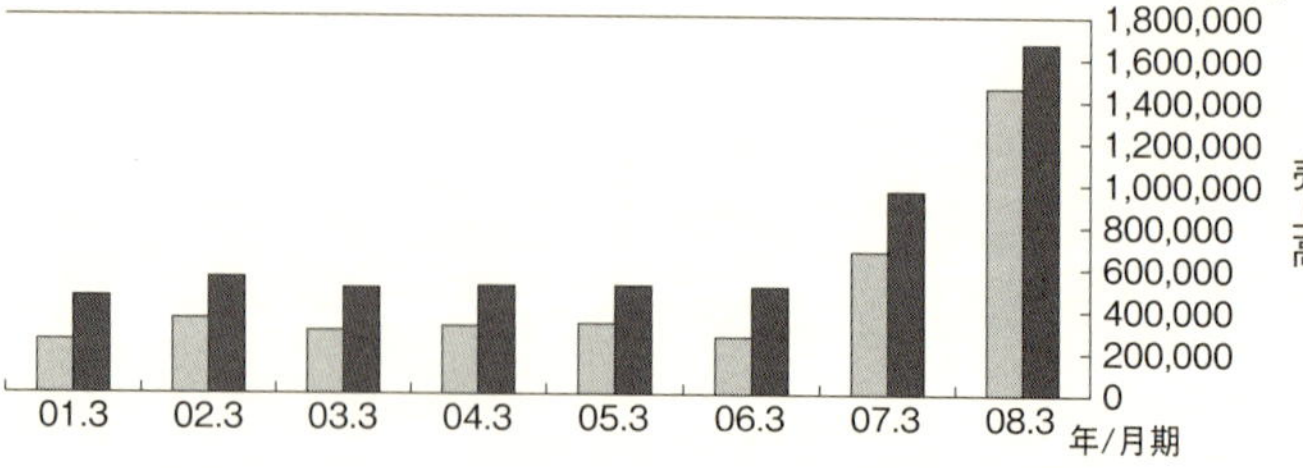

■著者紹介

井上理（いのうえ・おさむ）

1974年静岡県生まれ。1999年慶應義塾大学総合政策学部卒業、日経BP社に入社。『日経コンピュータ』編集部の記者として、IT業界の動向や、ネット革命などを取材。2004年、『日経ビジネス』編集部に配属。自動車業界、IT業界、流通サービス業界などを担当。約3年間にわたり任天堂関連の取材活動を続けた後、2009年、「日経ビジネスオンライン」の専属記者となる。

任天堂“驚き”を生む方程式

2009年5月11日　1版1刷
2009年5月25日　　2刷

著　者　井　上　理

発行者　羽　土　力

発行所　日本経済新聞出版社

http://www.nikkeibook.com/
東京都千代田区大手町 1-9-5　〒100-8066
電話　03-3270-0251

印刷　東光整版印刷／製本　大口製本印刷

ISBN978-4-532-31463-7